연방준비제도 101

뉴욕 연방준비은행 트레이더가 말하는 연준의 모든것

Central Banking 101

Central Banking 101

CENTRAL BANKING 101 KOREAN EDITION

연방준비제도 101

뉴욕 연방준비은행 트레이더가 말하는 연준의 모든 것

조셉 왕 지음

존 최 옮김

BUSINESS 101

서문

Preface

저는 금융시장에서 일하는 것이 꿈이었습니다. 하지만 안타깝게도 저는 컬럼비아 로스쿨을 졸업하고 나서야 금융위기가 닥치기 직전까지 그 꿈을 이루지 못했습니다. 사무실에 앉아 200페이지에 달하는 대출 계약서를 네 번째로 다시 읽는 동안 저는 주변 세상이 변하고 있다는 사실을 깨닫게 되었습니다. 다우지수는 하루에도 몇 퍼센트씩 요동치고 있었고, 주요 금융기관은 붕괴 직전에 놓여 있었으며, 연준은 전례 없는 방식으로 돈을 찍어내고 있었습니다. 저는 무슨 일이 벌어지고 있는지 잘 이해하지 못했지만 흥미진진했으며, 이 모든 것이 어떻게 작동하는지 이해하고 싶었습니다.

저는 금융시장에 100개가 넘는 일자리에 지원했지만, 금융위기 이후는 금융 업계에 입사하기 좋은 시기가 아니었습니다. 모든 채용 공고에는 새로 해고된 은행원과 트레이더의 이력서가 넘쳐났고, 지루한 경력에서 벗어나고 싶어 하는 변호사들도 상당수 있었습니다. 결국 저는 옥스퍼드 대학교에서 경제학 석사 학위를 받기 위해 다시 학교로 돌아가 금융 업계로 커리어를 전환했습니다. 다행히 대학에서 수학과 경제학을 공부했었기 때문에 금융업계로 커리어 전환은 어렵지 않았습니다. 저는 크레딧 애널리스트로 일한 후 뉴욕 연준의 공개시장데스크(Open Market Desk of The New York Fed)에서 트레이더로 일하게 되었습니다.

저는 데스크에서 일하면서 금융 시스템이 실제로 어떻게 작동하는지 숨은 이면을 볼 수 있었습니다. 정책 입안자를 위한 시장 정보 수집과 공개시장운영(Open Market Operations, 줄여서 OMO)이라는 두 가지 중요한 책임이 데스크에 있기 때문입니다.

시장 정보를 수집한다는 것은 시장 참여자들이 시장을 어떻게 바라보고 있는지에 대해 솔직한 대화를 나누는 것을 의미합니다. 데스크는 저명한 투자은행부터 포춘 500대 기업 재무담당자, 대형 헤지펀드에 이르기까지 거의 모든 주요 시장 참여자들과 정기적으로 대화를 나눕니다. 또한, 데스크는 연준이 규제 권한을 통해 수집하는 방대한 양의 기밀 데이터에 접근이 가능합니다. 질적 토론과 정량적 데이터를 통해 데스크는 금융시장을 이해하는 데 상당한 우위를 점하고 있습니다.

공개시장운영을 실행한다는 것은 대규모 자산 매입과 외환스왑 운용 등 연방공개시장위원회(FOMC)에서 결정한 통화정책을 실행한다는 의미입니다. 2008년과 2020년에 글로벌 시장을 휩쓸었던 금융 공황은 데스크가 공개시장운영을 강화한 후에야 안정될 수 있었습니다. 공개시장운영은 기본적으로 돈을 찍어내는 것을 의미하며, 때로는 많은 양의 돈을 찍어내는 경우도 있습니다.

저는 데스크에서 근무하는 시간을 최대한 활용하여 통화 시스템과 더 넓은 금융 시스템에 대해 최대한 많이 배웠습니다. 그 과정에서, 많은 사람들, 심지어 노련한 전문가들조차도 통화 시스템이 어떻게 작동하는지 잘 이해하지 못하는 경우가 많다는 것을 종종 발견했습니다. 예를 들어, 2008년 연준이 처음으로 양적완화를 시작했을 때 기관 투자 커뮤니티는 열광에 휩싸였습니다. 투자자들이 임박한 하이퍼 인플레이션을 예상하면서 금값이 사상 최고치로 치솟았지만 실제로는 약간의 인플레이션조차 발생하지 않았습니다.

중앙은행은 매우 복잡하기 때문에 투자자들의 이러한 오해는 이해할 만합니다. 심지어 전문가라고 자처하는 사람들조차도 상반된 정보를 많이 내놓고 있습니다. 제가 데스크에서 일하지 않았다면 통화 시스템이 어떻게 작동하는지에 대한 많은 측면이 여전히 모호했을 것입니다. 법률 오피스에서 일할 때 양적완화와 연준이 하는 일에 대해 매우 관심이 많았지만, 신뢰할 수 있는 것처럼 보이는 사람들의 기사와 블로그 게시물에 의존하여 상황을 정리할 수밖에 없었던 기억이 납니다. 더 나은 자료를 찾을 수 없었습니다.

연방준비제도 101은 중앙은행의 기초적인 측면을 가르치고 금융시장에 대한 개요를 제공하는 것을 목표로 합니다. 이 책은 광범위한 입문서이지만, 수준 높은 독자들을 위해 더 깊은 인사이트를 제공하는 특별 하이라이트 섹션들도 포함되어 있습니다. 중앙은행 101은 제가 통화 시스템과 더 넓은 금융 시스템을 이해하는 여정을 처음 시작했을 때 읽을 수 있었으면 좋았을 책입니다.

이 책이 독자들에게 흥미롭고 도움이 되기를 바랍니다.

책에서 제가 표현하는 견해는 제 개인적인 견해이며 뉴욕 연방준비은행 또는 연방준비제도의 견해를 반드시 반영하는 것은 아닙니다.

역자의 머리말

Translator's Foreword

저는 일반 대중이 대학교 석사 과정이나 실무에서나 다룰 법한 전문적인 금융 지식을 합리적인 비용으로 어떻게 얻을 수 있는지에 대한 고민을 오랫동안 해왔습니다. 작년에 '주식이 오르고 내리는 이유'라는 도서를 펴낸 후, 한국에 와서 출판 기반 교육 사업을 시작하게 되었고, 20년간 한국을 떠나 있었던 시간에도 불구하고, 많은 분들이 도움을 주신 끝에 불과 1년 만에 4권의 책을 출간하게 되었으며, 그중 하나인 '연방준비제도 101(미국판 제목: Central Banking 101)'이라는 도서를 한국 독자들에게 다시 소개하게 되어서 기쁩니다.

이 책은 미국 헤지펀드 커뮤니티에서 꾸준히 추천되어 온 도서로, 미국의 중앙은행인 연방준비제도가 시장 데이터를 수집하고 통화정책과 금리의 향방을 결정하는 프로세스를 다루고 있습니다. 저자 조셉은 뉴욕연방은행 공개 시장 트레이딩 데스크(The New York Fed's Open Market Trading Desk)에서 트레이더로 수년간 일한 경험을 바탕으로 중앙은행 시스템에 대한 상세한 내용을 실무자의 시각으로 이 책에 담았습니다.

이 글을 쓰는 2023년 12월 현재, 연방기금금리(federal fund rate)는 5.50%까지 상승하였으며, 현재 연준의 매파적인 기조로 인해 개인과 기관투자자들 모두 높은 이자 비용 부담과 자산 가치 하락 등 많은 영향을 받고 있습니다. 모두가 연준의 발표를 주목하는 가운데, 기업가와 투자자의 관점에서 중앙은행의 역할, 단기금융시장의 작동 방식, 레포와 역레포 운용, 그림자 금융, 양적완화와 인플레이션, 연준의 시장 개입 등 거시적 데이터를 분석하는 방법을 익히고, 이 책의 마지막 장인 '연준 감시법(How To Fed Watch)'에서 연준의 다양한 발표 자료들을 어떻게 해석하고 연준의 발표가 시장에 주는 영향을 이해한다면 여러 방면에서 실용적인 도움을 받을 수 있을 것입니다.

끝으로 연방준비제도 101을 출간하는데 조언을 아끼지 않은 저자 조셉에게 감사를 표합니다. 그리고 BUSINESS 101의 독자분들과 BUSINESS 101의 사업에 도움을 주신 모든 분들께 감사의 말씀을 드립니다.

2023년 12월 10일

존 최

John Choi

추천사

Recommendations

84p에 설명된 그림자 은행이 음지에서 모습을 드러낸 2007년 8월, 저는 세계 최대 퀀트헤지펀드로 급부상한 바클레이즈 글로벌 인베스터즈(Barclays Global Investors)의 샌프란시스코 본사에서 '특정' 시장이 무너지는 모습을 목격하고 있었습니다. 두 곳의 서브프라임 모기지 헤지펀드 청산이 유동성에 영향을 주어, 가장 유동성이 좋다고 여겨진 퀀트펀드들을 앞다투어 환매하여 모든 퀀트펀드들의 성과가 순식간에 녹아내리듯 폭락하였고, 이후 투자자들은 이를 '퀀트 멜다운(Quant meltdown)'이라고 불렀습니다. 이것은 1년 뒤 본격적인 금융위기의 전조였고, 연준은 금융위기에 대응하며 QE라는 새로운 통화정책 시대를 열었습니다.

포스트 금융위기 시대에 투자에 가장 중요한 요소는 다름 아닌 연준의 정책이며 이것에 대한 이해는 매우 중요합니다. "연준에 맞서지 말라"는 격언을 수차례 강조해도 부족하지 않은 시대에 우리는 살고 있습니다. 이 책은 이렇게 중요한 연준의 정책을 책제목처럼 알기 쉽게 설명합니다. 경제뉴스를 통해 한번쯤은 보았을 법하지만, 무슨 의미인지 이해가 되지 않아 넘어간 연준의 이야기들, 난해한 용어와 경제추체들의 모습들을 매우 쉽고 실감 나게 이해시켜 줍니다.

모쪼록 이 책을 통하여 연준의 작동방식, 더 나아가서 미국 금융시장의 근본적인 작동방식을 잘 이해할 수 있게 되면 좋겠습니다. 그리고 이러한 이해는 독자들의 투자 의사결정뿐 아니라 인생의 중요한 의사결정들에도 큰 도움이 될 것이라고 생각합니다. 매우 의미 있고 중요한 책을 발견하고 한국에 출간하는 BUSINESS 101 존최 대표의 탁월한 안목에 박수를 보냅니다.

루트엔글로벌 자산운용

대표 이 현 준

An intriguing read! 연방준비제도 101은 복잡하고 다소 생소한 미국의 연방준비제도를 이해하기 쉽게 풀어낸 책으로서 이 시대에 고전분투하고 있는 모든 투자자들의 필독서입니다. 책에서 배운 내용들을 경제 뉴스에 접목하다 보면 연방준비제도(연준)의 빅 픽처를 이해하는 데 도움이 될 것입니다. 또한 미국의 자본 시장의 흐름과 연준의 정책을 이해하면 국내외 투자 결정을 하는데도 많은 도움이 될 것입니다.

이 책은 미국 중앙은행에 대한 이야기를 다루지만 이것은 우리의 문제이기도 합니다. 미국 연준의 정책 변화는 다양한 측면에서 파급효과를 나타내고 우리 국내 중앙은행의 이자율 정책뿐만 아니라 자산 가격에도 영향력을 끼칩니다. 고물가 시대를 지나던 2022-2023 기간 동안 미국 자산 시장은 연준의 정책에 의해 좌지우지되었습니다. FOMC 성명서 발표가 있을 때마다 금융업계 종사자들은 연준 의장의 발언에 단어 선택 하나까지도 집중하면서 들어야 했습니다. 저자인 Joseph Wang이 기술했듯이 2008년 금융위기와 2020년 3월 코로나 패닉 기간을 거치면서 연준은 최후의 대출 기관으로서 자리매김하였습니다.

연방준비제도 101은 미국 연준의 역할에 대한 깊은 통찰력을 제공하며, 잘 알려져 있는 않은 Repo 시장, 통화 등에 관련해서 명쾌하게 설명하고 있는 지침서입니다. 투자자라면 누구나 꼭 알아야 하는 지침서를 한국어 버전으로 출간시켜 주신 역자이자 BUSINESS 101의 대표 John Choi에게 감사를 전합니다.

Questrade Wealth Management

이사 김 유 택 DMS, CFA, CFP

연준은 2008년 금융위기 이후 전통적인 기준 금리 조절 외에도 양적완화(QE), 양적긴축(QT), 보유자산 만기연장(Operation Twist)과 같은 비전통적인 시장 개입을 통한 대차대조표 정책(Fed balance sheet policy)을 적극적으로 펼치고 있습니다. 그와 같은 기조 하에서 연준은 지난 2020년 팬데믹 상황에 돌입하자 기준금리의 급격한 인하와 함께 은행 부문뿐만 아니라 기업에 대한 최후의 대출자 역할까지 수행하며, 국채를 무제한 매입하는 양적완화 정책을 취했습니다. 그러나 이후 과도한 유동성 공급의 반작용과 공급망 문제 등으로 인한 인플레이션 국면을 맞이하게 되면서 연준은 테이퍼링(Tapering)을 거쳐 지난 2022년부터 방향을 전환하여 28년 만의 자이언트 스텝을 포함한 기준 금리의 급격한 인상과 양적긴축을 통해 유동성을 축소하는 스탠스를 취하고 있습니다.

현재의 양적긴축 또는 향후 정책의 전환이 세계 경제에 어떤 결과를 낳게 될지 알 수 없습니다. 그러나 어떤 투자자도 연준이 펼치는 정책에서 자유로울 수 없음은 분명합니다. 따라서 모든 투자자는 연준 정책의 배경과 장래에 미칠 영향을 명확히 이해하고 이를 투자 결정에 신중히 반영할 필요가 있습니다. 나아가 연준이 어떤 정책을 펼치게 될지 예측하기 위해서는 현재의 금융 시스템이 어떻게 작동하며, 시스템이 어떻게 오작동될 수 있는지, 그리고 연준이 이러한 문제를 해결하기 위해 어떤 도구를 택할 수 있는지 이해한다면 많은 도움이 될 것입니다.

이와 같은 상황에서 연준의 공개시장데스크에서 고급 시장 정보를 수집하고 공개시장운영에 직접 관여했던 저자가 화폐 제도와 금융 시스템, 자본과 금융 시장의 운영 방식에 이르는 광범위한 내용을 간결하면서도 흥미롭게 설명하는 이 책은 많은 연준 관련 서적 중에서도 탁월하다고 할 수 있습니다. 특히 금융 시스템 위기 상황에서 연준이 취해왔던 위기 통화 정책 부분과 연준이 발표하고 있는 각종 데이터의 의미를 설명한 연준 감시법에 대한 부분은 이 책의 백미라고 할 수 있으며 투자자라면 어느 한 부분도 놓치지 말아야 하는 내용이라고 할 것입니다.

귀한 저술을 통해 훌륭한 정보를 공유해 준 저자와 한국의 투자자들을 위해 탁월한 원서를 선별하여 한국 시장에 소개하고 있는 BUSINESS 101과 대표 John Choi에게 감사의 말씀을 전합니다.

법무법인 광장

파트너 변호사, 법학박사 맹 정 환

목차

서문 4

역자의 머리말 8

추천사 10

섹션 I 화폐와 금융

1장 화폐의 종류 20

대차대조표 회계에 대한 간단한 입문서 22

중앙은행 준비금 24

연준 준비금 분석 방법 28

은행예금 30

중앙은행 디지털 화폐 32

미국 국채 34

국채 시장이 붕괴될 때 38

법정화폐 40

대부분의 화폐는 실제로 해외에 보관되어 있다. 41

자주 묻는 질문 43

2장 돈을 만드는 자들 46

연준 46

공개시장데스크 48

중앙은행 커뮤니티 52

상업은행 53

신용 창출 한도 58

은행을 공부하는 방법 59
미국 재무부 62

3장 그림자 은행 65
프라이머리딜러 67
연준이 그림자 은행을 구제하는 방법........................ 70
머니마켓 뮤추얼 펀드........................ 72
머니마켓펀드가 폭락했을 때........................ 74
상장지수펀드 76
모기지리츠........................ 78
사모투자펀드........................ 79
현물-선물 베이시스 폭등 81
자산유동화 또는 증권화........................ 83
그림자 은행이 음지에서 모습을 드러낼 때 84
연방주택대출은행: 정부 후원 그림자 은행 86

4장 유로달러 마켓 89
역외 달러 뱅킹........................ 96
외국 은행은 어떻게 달러를 발행하는가? 101
모든 예금이 동일한 것은 아니다........................ 104
역외 미국 달러 자본시장 106
세계 중앙은행 111

섹션 II 시장

5장 금리 116
단기금리........................ 117

장기금리 121
곡선의 형태 128

6장 단기금융시장 130

담보형 머니마켓 131
레포 시장 자세히 알아보기 137
글로벌 머니마켓 144
무담보형 머니마켓 145
2016년 머니마켓 개혁 148
연방자금시장의 종말 153

7장 자본시장 156

주식시장...157
패시브 투자의 부상..................................159
마켓메이커: 보이지 않는 손..........................164
부채자본시장......................................167
회사채...171
양적완화가 주가를 끌어올리는 방법: 기업 레버리지.........175
패니 메이와 프레디 맥 179
미국 국채 (미국 재무부 발행 증권)......................187

섹션 III 연준 감시

8장 위기통화정책 192

연준의 특별 대출 창구를 모니터링 하는 방법 195
수익률 곡선의 연결 199
금리를 낮추는 것이 정말 효과가 있을까?..................204

9장 연준 감시법 208

FOMC 성명서 209
FOMC 기자 회견 212
FOMC 회의록 213
FOMC 점도표 215
연방준비제도 연설 217
연준 인터뷰 및 의회 증언 219
데스크 운영 성명서 221
연준 대차대조표 222
데스크 설문조사 225
연방준비제도 리서치 227
연방준비제도 설문조사 228
연준이 무엇을 할 것이라고 생각하는가? 229
새로운 프레임워크 229
현대통화이론 233

이 책을 읽으면서 유의할 점

1. 본문에서 특별한 명시가 없는 한 '국채'는 미국 국채를, '재무부'는 미국 재무부를 뜻합니다.
2. 본문에서 '기초 증권(underlying securities)'이란 파생상품 계약의 기초가 되는 금융 자산을 말하며 주식, 채권, 원자재, 통화 등 다양한 금융상품이 포함될 수 있습니다. '기초 증권'은 금융상품을 뜻하지만, '기초 자산(underlying asset)'은 더욱 포괄적인 의미에서 파생상품 계약의 기초가 되는 자산을 말하며, 부동산, 원자재 등의 유형자산도 여기에 포함됩니다.
3. '금리'와 '이자율'은 동의어이며, 이 두 용어는 문맥에 따라 번갈아가며 사용되었습니다.
4. 독자 여러분의 이해를 돕기 위해 원서에 수록되지 않은 용어 해설을 각주로 추가하였습니다.

SECTION I Money and Banking

"The Fed's goal with QE is to lower longer-term interest rates, with the increase in reserves and bank deposits being a necessary byproduct."

섹션 I 화폐와 금융

“연준의 양적완화 목표는 장기금리를 낮추는 것이며, 지급준비금과 은행예금의 증가는 필수적인 부산물이다. “

1장 화폐의 종류

CHAPTER 1 Types of Money

화폐란 무엇인가? 대부분 사람들은 화폐라고 하면 역사적인 인물로 장식된 직사각형의 정부 인쇄 종이를 떠올린다. 이것은 가장 잘 알려진 형태의 화폐이지만 현대 금융 시스템에서 화폐를 구성하는 것의 일부에 불과하다. 여러분의 지갑을 살펴보고 하루 동안 얼마나 많은 화폐를 소지하고 사용하고 있는지 생각해 봐라. 대부분 사람들이 그렇듯, 급여는 은행 계좌로 송금되어 전자결제를 통해 지출된다. 은행 계좌에 표시되는 숫자를 은행예금이라고 하는데, 이는 정부가 아닌 상업은행에서 만든 별도의 화폐이다. 은행예금은 대중이 돈이라고 생각하는 것의 대부분을 차지한다.

실제로 은행예금(bank deposits)은 모든 은행이나 ATM 기기에서 실시간으로 정부가 발행한 법정화폐로 원활하게 전환할 수 있다. 하지만 이 둘은 매우 다르다. 은행예금은 은행의 '차용증서(IOU)'이며 해당 은행이 파산할 경우 그 가치는 없어진다. 반면에 100달러 지폐는 미국 정부의 일부인 연방준비제도이사회(Federal Reserve, 줄여서 연준)에서 발행한다. 이 100달러 지폐는 미국이 존재하는 한 가치가 있다. 은행예금에는 지폐보다 훨씬 더 많은 돈이 있기 때문에 이론적으로는 모든 사람이 예금을 인출하면 은행에 현금이 부족할 것이다. 그러나 오늘날 사람들은 은행예금을 안전하게 보관할 수 있다고 느끼기 때문에 실제로는 문제가 되지 않는데, 이는 부분적으로 미국 정부가 계좌 소유자에게 25만 달러의 미국 연방예금보험공사(FDIC)의 예금보험을 제공하기 때문이다.[1] 따라서 은행예금은 대부분의 사람들에게 법정화폐만큼 안전하다.

세 번째 유형의 화폐는 중앙은행 준비금(central bank reserves)으로, 연준이 발행한 특수 화폐이며 상업은행(commercial banks)만 보유할 수 있다. 고객의 은행예금이 상업은행의 '차용증서'인 것처럼 중앙은행 준비금은 연준이 발행한 '차용증서'이다. 상업은행의 관점에서 볼 때 화폐와 은행 준비금은 서로 교환이 가능하다. 상업은행은 연준에 전화를 걸어 화폐 배송을 요청하여 은행 준비금을 법정화폐로 전환할 수 있다. 연준이 1,000달러의 화폐를 송금하면 연준 계좌의 준비금이 1,000달러 감소하는 것으로 대금을 지불하게 된다. 상업은행은 은행 간 결제 또는 연준 계좌를 가진 다른 기관에 돈을 지불할 때 은행 준비금을 사용하고, 그 외의 기관에 돈을 지불할 때는 화폐 또는 은행예금을 사용한다.

마지막 유형의 화폐는 국채로, 기본적으로 이자를 지급하는 화폐의 일종이다. 법정화폐 및 중앙은행 준비금과 마찬가지로 국채도 미국 정부에서 발행한다. 국채는 시장에서 판매하거나 대출을 위한 담보로 사용하여 은행예금으로 쉽게 전환할 수 있다. 여러분이 대형 기관투자자 또는 수억 달러를 보유한 매우 부유한 자산가라고 상상해 봐라. 여러분은 은행

---

1 대한한국의 경우, 예금보험공사의 예금자 보호한도는 1인당 최고 5,000 만원이다.

이 아니므로 중앙은행 준비금을 보유할 자격이 없고, FDIC 보험 한도를 훨씬 초과하는 금액을 상업은행에 예치하는 것은 합리적이지 않으며, 엄청난 양의 법정화폐(Fiat currency)를 집에 가지고 있는 것은 어리석다. 따라서 여러분에게 미국 국채는 곧 돈이다.

돈의 종류	발행 기관	보유가능자	발행 규모
법정화폐 (Fiat currency)	미국 정부	누구나 가능	2조 달러 ($2 trillion)
은행예금 (Bank deposits)	상업은행	누구나 가능	15.5조 달러 미국 내 ($15.5 trillion domestically)
중앙은행 준비금 (Central bank reserves)	미국 정부	상업은행	3조 달러 ($3 trillion)
미 재무부 증권 (Treasury securities)	미국 정부	누구나 가능	20조 달러 ($20 trillion)
Source: Federal Reserve H8 and U.S. Treasury as of June 2020			

기능적인 금융 시스템에서 모든 형태의 화폐는 서로 자유롭게 전환할 수 있다. 이러한 전환이 무너지면 금융 시스템에 심각한 문제가 발생한다. 다음 항목에서는 각 유형의 화폐에 대해 설명하고 전환성이 손상되면 어떤 일이 발생하는지 예시를 들어 설명하겠다.

대차대조표 회계에 대한 간단한 입문서
Quick Primer on Balance Sheet Accounting

대차대조표는 은행의 자산과 부채에 대한 개요를 제공하며, 복식부기(double-entry bookkeeping) 방식으로 작성되므로 모든 자산은 부채와 상계된다. 이는 자산의 자금 조달 방법을 보여준다. 자산은 현금흐름을 창출하는 대출이나 유가증권과 같이 은행이 소유한 금융상품이다. 반면 부채는 예금이나 부채와 같이 은행이 갚아야 하는 금액이다. 결국 총자산은 총부채에 자본을 더한 값과 같아야 한다. 즉, 은행의 자산은 주주들로부터 자금을 조달하거나 (자본) 다른 사람으로부터 돈을 빌린 것이다 (부채)

대차대조표는 은행의 운영 방식을 이해하는 좋은 방법이다. 모든 은행은 부채 측면에서는 투자자가 출자한 자본으로, 자산 측면에서는 중앙은행 준비금과 화폐로 사업을 시작한다. 거기에서 은행은 자산을 추가하고 예금 부채를 생성하여 해당 자산에 대한 대가를 지불함으로써 대차대조표를 확장한다. 예를 들어, 은행은 1,000달러의 사업 대출을 제공할 수 있다. 그러면 대출 자산이 1,000달러가 되고 예금 부채가 1,000달러가 된다. 은행은 컴퓨터를 통해 차입자의 계좌에 1,000달러의 예금을 추가하기만 하면 된다. 다음 장에서 돈이 어떻게 생성되는지 더 자세히 살펴볼 것이다.

상업은행 대차대조표
(Commercial Bank Balance Sheet)

자산 (Assets)	**부채** (Liablities)
준비금 (Reserves)	자본 (Equity)
+1,000 달러 대출 (+$1,000 loan)	+1,000 달러 예금 (+$1,000 deposits)

중앙은행에도 동일한 대차대조표 원칙이 적용된다. 연준은 국채나 기타 자산을 매입할 때 준비금을 만들어 그 대가를 지불한다.

중앙은행 준비금
Central Bank Reserves

중앙은행 준비금은 중앙은행이 금융자산을 매입하거나 대출을 할 때 생성된다. 중앙은행은 중앙은행 준비금을 만들 수 있는 유일한 기관이므로 금융 시스템의 준비금 총액은 전적으로 중앙은행의 조치에 의해 결정된다.[2] 예를 들어 연준이 10억 달러의 미국 국채를 매입하면 이를 지불하기 위해 중앙은행 준비금 10억 달러가 생성된다. 이는 국채 판매자가 상업은행이든 은행이 아니든 상관없이 발생한다. 연준이 상업은행으로부터 미국 국채를 매입한 경우, 상업은행의 미국 국채 자산은 중앙은행 준비금으로 교환된다.

상업은행이 연준에게 국채를 매각할 경우
(Commercial Bank Sells Treasuries to Fed)

상업은행 대차대조표
(Commercial Bank Balance Sheet)

자산 (Assets)	**부채** (Liablities)
−10억 달러 국채 (-$1b Treasuries)	
+10억 달러 준비금 (+$1b Reserves)	

2 상업은행은 중앙은행 준비금을 법정화폐로 전환할 수 있으며, 이 경우 중앙은행 준비금은 감소하고 발행 화폐량은 증가할 수 있다. 하지만 오늘날 대부분의 거래가 전자 방식으로 이루어지고 법정화폐를 사용하지 않기 때문에 실제로는 이러한 활동이 큰 규모는 아니다.

회사가 연준에게 국채를 매각할 경우

(Corporation Sells Treasuries to Fed)

상업은행 대차대조표

(Commercial Bank Balance Sheet)

자산 (Assets)	**부채** (Liablities)
+10억 달러 준비금 (+$1b Reserves)	+10억 달러 회사에 예금 (+1b Deposits to Corp.)

회사 대차대조표

(Corporation's Balance Sheet)

자산 (Assets)	**부채** (Liablities)
-10억 달러 국채 (-$1b Treasuries) +10억 달러 은행예금 (+$1b Bank deposits)	

연준이 상업은행이 아닌 자로부터 국채를 매입한 경우에는 상황이 약간 달라지는데, 이는 해당 비은행 기관이 연준 계좌를 보유하지 않으므로 중앙은행 준비금을 보유할 자격이 없기 때문이다. 어떤 기업이 10억 달러의 국채를 연준에 매각한 경우, 매각 대금은 해당 기업이 거래하는 상업은행에 예치된다. 연준은 상업은행의 연준 계좌에 10억 달러의 준비금을 추가하고, 상업은행은 기업의 은행 계좌에 10억 달러의 예금을 추가한다. 거래가 끝나면 상업은행은 10억 달러의 중앙은행 준비금 자산을 보유하게 되며, 이는 기업에 대한 은행예금 부채 10억 달러의 증가

와 균형을 이루게 된다.

중앙은행 준비금은 연준의 대차대조표를 떠나지 않지만, 상업은행이 서로 지급을 정산할 때마다 매일 이리저리 섞이게 된다. 어떤 회사가 10억 달러 중 절반을 다른 은행과 거래하는 공급업체에 지불했다고 가정해 보자. 회사의 은행 계좌 잔액은 5억 달러 감소하고, 공급업체의 은행 계좌 잔액은 5억 달러 증가하는 것을 볼 수 있다. 그 이면에는 회사의 은행이 중앙은행 준비금 5억 달러를 공급업체의 은행에 송금하고, 공급업체의 은행은 다시 5억 달러의 은행예금을 공급업체의 은행 계좌에 입금하는 방식이 있다.

회사가 공급업체에게 5억 달러를 지급할 경우

(Corporation Pays $500 mil to Supplier)

회사 은행의 대차대조표

(Corporation's Bank Balance Sheet)

자산 (Assets)	**부채** (Liablities)
10억 달러 준비금 ($1b Reserves)	10억 달러, 회사에 예금 (+1b Deposits to Corp.)
-5억 달러 준비금, 공급업체의 은행으로 송금 (-$500 mil Reserves sent to Supplier's Bank)	-5억 달러, 회사에 예금 (-$500 mil deposits to Corp.)

회사 대차대조표

(Corporation's Balance Sheet)

자산 (Assets)	부채 (Liablities)
10억 달러 은행예금 ($1b Bank deposits) -5억 달러 은행예금 (-$500 mil Bank deposits) +5억 달러 물품 (-$500 mil Supplies)	

공급업체 은행의 대차대조표

(Supplier's Bank's Balance Sheet)

자산 (Assets)	부채 (Liablities)
+5억 달러 준비금, 회사의 거래 은행으로부터 수령 (+$500 mil Reserves from Corporation's bank)	+5억 달러 공급업체에 예금 (+500 mil deposits to Supplier)

공급업체의 대차대조표

(Supplier's Balance Sheet)

자산 (Assets)	부채 (Liablities)
-5억달러 물품, 회사에 매각 (-$500 mil Supplies sold to Corporation) +5억달러 은행예금 (+$500 mil Bank deposits)	

2008년 금융위기 이전에는 연준이 상업은행 시스템의 지급준비금 수준을 약간 조정하여 단기금리를 통제하는 지급준비금 부족 체제(reserve scarcity regime) 하에서 통화정책을 수행했다. 전체 은행 시스템의 준비금은 오늘날 수조 달러에 달하지만 당시에는 약 300억 달러에 불과했다. 연준은 양적완화 프로그램을 통해 장기국채를 매입하여 장기금리에 영향력을 행사할 수 있으며, 양적완화 프로그램의 지원을 위해 지급준비금을 조성한 결과, 지급준비금 수준이 크게 증가했다. 오늘날 연준은 초과 지급준비금에 대해 은행에 지급하는 이자와 오버나이트 역레포 창구(Overnight Reverse Repo Facility)의 제공금리를 조정하여 단기금리를 컨트롤한다.[3] 오버나이트 역레포 창구는 참여자가 연준에 자금을 대출할 수 있는 프로그램이다. 연준의 운영 프레임워크는 이후 항목에서 설명한다.[4]

연준 준비금 분석 방법
How to Analyze Fed Reserves

중앙은행 준비금 데이터는 연준 웹사이트의 주간 H.4.1 자료에 공개된다. 다음 페이지의 도표는 준비금 잔액을 자세히 보여주는 표의 스냅샷이다.

---

3 역레포 대출(repo loans) 또는 환매조건부채권(repurchase agreement)은 6장에서 설명할 것이다.

4 은행 및 금융 분야에서 '오버나이트(overnight)'란 용어는 만기가 하루 이하인 금융 거래를 말하며, 하루 안에 거래가 이루어지고 정산된다는 것을 뜻한다.

1. Factors Affecting Reserve Balances of Depository Institutions (continued)
Millions of dollars

Reserve Bank credit, related items, and reserve balances of depository institutions at Federal Reserve Banks	Averages of daily figures					Wednesday
	Week ended Jan 15, 2020	Change from week ended Jan 8, 2020		Jan 16, 2019		Jan 15, 2020
Currency in circulation (11)	1,797,265	-	7,742	+	90,512	1,795,725
Reverse repurchase agreements (12)	266,447	-	12,004	+	4,214	260,913
Foreign official and international accounts	265,788	-	9,498	+	5,383	260,238
Others	659	-	2,506	-	1,170	675
Treasury cash holdings	177	+	5	-	46	189
Deposits with F.R. Banks, other than reserve balances	424,014	-	10,541	-	735	449,695
Term deposits held by depository institutions	0		0		0	0
U.S. Treasury, General Account	350,987	-	16,015	-	193	380,802
Foreign official	5,182		0	-	65	5,181
Other (13)	67,846	+	5,475	-	476	63,712
Other liabilities and capital (14)	45,028	+	1,860	+	60	44,241
Total factors, other than reserve balances, absorbing reserve funds	2,532,931	-	28,423	+	94,004	2,550,762
Reserve balances with Federal Reserve Banks	1,686,801	+	32,715	+	22,663	1,673,362

이 데이터는 주요 준비금 보유 기관들의 유형별 준비금 총 분포를 보여준다. 2020년 1월 15일 기준 주간 평균을 보여주는 첫 번째 열을 유심히 보면 먼저 유통 통화량이 1조 7,900억 달러라는 것을 알 수 있다. 이는 화폐로 전환된 준비금의 누적 금액이다. 상업은행이 화폐가 필요할 때 중앙은행 준비금을 연준에 보내면 연준은 방탄차에 화폐를 실어 상업은행에게 보낸다. 결국 준비금은 소멸되고 화폐로 대체된다.

다음으로 큰 항목은 2,650억 달러에 달하는 '외국 공공 및 국제 계좌(foreign official and international accounts)'이다. 이는 외국 중앙은행의 당좌예금 계좌와 같은 '외국 레포 풀(Foreign Repo pool)'이다. 외국 중앙은행은 뉴욕 연준에 달러를 예치할 수 있지만, 이 거래는 담보형 레포 대출(secured repo loan)로 구조화되어 있다. 외국 중앙은행은 지급준비금을 보유하지 않지만(외국 중앙은행은 연준에 돈을 빌려주는 형태로 레포 대출을 자산으로 보유한다), 상업은행에서 외국 레포 풀로 자금을 이동하면 지급준비금은 은행 시스템을 떠나 별도의 외국 레포 창구 계좌(Foreign Repo Facility account)로 들어간다.

다음으로 규모가 큰 3,500억 달러는 미국 재무부의 당좌예금 계좌인 '재무부 일반 계정(Treasury General Account, 줄여서 TGA)'이다. 세금 납부 등 미국 재무부에 대한 지불이 이루어지면 준비금이 상업은행 시스템을 떠나 TGA로 들어간다. '기타(Other)'에 있는 678억 달러는 '패니 메이(Fannie Mae)'와 같은 정부후원기업(GSE)과 CME 청산소[5] 같은 '지정 금융시장 유틸리티(Designated Financial Market Utilities, 줄여서 DFMU)'[6]의 준비금 잔액이다. 마지막으로 맨 아래에 1조 6,800억 달러는 상업은행이 보유한 준비금 수준이다.

은행예금

Bank Deposits

은행예금은 상업은행이 대출을 제공하거나 금융자산을 구매할 때 생성된다. 흔히 은행이 예금을 받은 다음 다른 사람에게 예금을 빌려준다고 오해하는 경우가 있다. 은행은 대출을 제공할 때, 기존 예금에서 돈을 빌려주는 게 아니라 처음부터 새로운 은행예금을 만든다.[7] 이는 중앙은행이 지급준비금을 조성하는 방식과 매우 유사하다. 중앙은행은 상업

---

5 시카고상품거래소(CME)에서 운영하는 청산소(Clearing House)를 말한다. 청산소는 금융시장의 필수 구성 요소로, 구매자와 판매자 간의 금융 거래를 촉진하고 보장하는 중개자 역할을 한다. CME 그룹이 운영하는 CME 클리어링은 전 세계에서 가장 규모가 큰 청산소 중 하나이며, 금리, 주식 등의 선물과 옵션을 포함한 다양한 금융상품에 대한 청산 서비스를 제공한다.

6 청산, 결제 및 기타 금융 서비스를 제공하여 금융시장에서 중요한 역할을 하며 법에 의해 시스템적으로 중요하다고 지정된 기관을 말한다.

7 For more details, see McLeay, Michael, Amar Radia, and Ryland Thomas. "Money Creation in the Modern Economy." Quarterly Bulletin. Bank of England, Q1 2014.

은행에게 은행 역할을 하고, 상업은행은 개인이나 기업 같은 비은행에게 은행 역할을 한다.

그러나 의미 있는 차이점은 중앙은행은 하나인 반면, 상업은행은 다수라는 점이다. 중앙은행이 하나뿐이기 때문에 생성된 준비금은 모두 중앙은행의 대차대조표에 남아 있으며, 상업은행들이 서로에게 지급할 때 여러 준비금 계좌에 섞여 분배된다. 상업은행의 경우 각 상업은행은 자체 대차대조표를 가지고 있으며 자체 예금을 생성한다. 따라서 예금자가 은행예금을 인출하여 한 상업은행의 대차대조표에서 다른 상업은행의 대차대조표로 옮기는 것이 가능하다. 이런 일이 발생하면 한 상업은행은 다른 상업은행에 돈을 지불해야 한다. 이 지불은 중앙은행 준비금 형태로 이루어진다.

상업은행들은 신규 예금을 생성하기 때문에 중앙은행 준비금보다 훨씬 더 많은 예금을 보유하게 된다. 실제로 상업은행은 매일 대량의 입금과 출금 거래를 진행한다. 하루가 끝나면 은행들이 보유한 준비금의 양은 대체로 크게 변하지 않으므로, 은행은 생성한 예금 대비 소량의 준비금만 보유하면 된다. 이를 '부분지급준비제도(fractional reserve banking)'라고 한다. 한 상업은행에서 예상보다 많은 자금이 유출되면 언제든지 다른 상업은행이나 연준에서 지급준비금을 빌려 돈을 지급할 수 있다.

은행예금은 가장 일반적인 형태의 화폐이지만 반드시 안전하다고 볼 수는 없다. 은행예금은 민간 부문에서 만들어졌기 때문에 위험이 없는 것은 아니다. 은행 위기는 은행이 부실 대출을 너무 많이 해서 파산할 때 발생한다. 이 경우 은행의 예금은 더 이상 화폐가 액면가로 전환이 되지 않을 가능성이 있으며, 예금자가 대출 손실을 분담하기 때문에 100달러의 예금을 100달러의 화폐로 전환할 수 없게 된다. 예금자들은 당황하여 동시에 예금을 인출하려고 할 것이고, 은행의 파산은 가속화될 것이다. 19세기 와일드 캣 뱅킹 시대에는 통일된 화폐가 없었기 때문에 개별 상업은행마다 자체 예금을 만들고 자체 지폐를 인쇄했다. 당시에는 은행 부도가 빈번하게 발생했기 때문에 각 은행이 발행한 지폐는 부도 위험에 대비해 액면가보다 할인된 금액으로만 인정되었다.

이후 미국 정부는 은행예금 보증, 은행 규제 강화, 연준의 할인 창구(discount window)를 통한 은행 긴급 대출 등 은행 위기의 위험을 줄이기 위해 많은 노력을 기울였다. 이러한 조치들은 본질적으로 은행예금을 중앙은행 준비금이나 화폐에 버금가는 위험이 없고 '화폐와 동일한(money-like)' 자산으로 만드는 데 기여한다. 실제로 250,000달러의 FDIC의 예금 보증은 대다수 예금자의 예금 잔액을 완전히 보장한다. 따라서, 이들에게 은행예금은 위험이 없는 돈이다.

중앙은행 디지털 화폐
Central Bank Digital Currency

중앙은행 디지털 화폐(CBDC)는 중앙은행 커뮤니티에서 점점 인기를 끌고 있는 주제이며, 거의 모든 주요 중앙은행에서 이 아이디어를 검토하고 있다. CBDC는 기본적으로 모든 사람이 중앙은행에 계좌를 가질 수 있도록 한다. 일반 대중은 CBDC를 통해 상업은행에 예금을 보유하는 대신 중앙은행 준비금과 같은 것을 보유할 수 있다. CBDC는 잠재적으로 실물 화폐와 은행예금을 모두 대체할 수 있다.

CBDC의 핵심 이점은 보안과 효율성으로 선전되고 있다. 비은행은 상업은행 예금의 신용 위험을 감수하는 대신 중앙은행에 무위험 예금을 보유할 수 있다. 모든 사람이 중앙은행에 계좌를 보유하게 되므로 결제는 더 빨라질 것이며, 서로 다른 CBDC 계좌로 돈을 이체하기만 하면 된다. 은행 간 결제도 필요하지 않다.

실제로 CBDC의 장점은 환상에 불과하다. 정부의 예금보험은 이미 은행예금을 안전하게 보호하고 있으며, 오늘날의 전자결제는 이미 즉각적이고 매우 저렴한 비용으로 이루어지고 있다. 중앙은행 디지털 화폐의 진정한 목적은 재정 및 통화정책을 수행하기 위한 정책 도구이다. CBDC는 정부가 통화 시스템을 사실상 완벽하게 통제할 수 있게 만든다. 정부는 CBDC를 통해 모든 사람이 얼마나 많은 돈을 가지고 있고, 누구에게 송금하는지 정확히 알 수 있다. 정부는 모든 사람의 CBDC 계좌에 마음대로 돈을 인출하거나 입금할 수 있으며, 모든 사람의 CBDC 계좌 이자율을 마음대로 낮추거나 올릴 수 있다. 현재는 이러한 모든 권한이 민간 상업은행에 있다.

그러나 CBDC 세계에서는 탈세와 자금 세탁이 불가능해지고, 정부가 국민에게 직접 돈을 지급함으로써 지출을 조작할 수 있게 된다. 또한 처벌을 위해 사람들에게서 직접 돈을 빼앗을 수 있다. 마이너스 5%의 금리가 경제를 활성화할 것이라는 모델이 있다면, 버튼 클릭 한 번으로 모든 사람에게 즉시 적용하거나 특정인에게만 선택적으로 적용할 수 있다. 정부는 CBDC가 자신들의 권한을 크게 증가시키기 때문에 이를 선호한다.

하지만 개인의 관점에서 볼 때 CBDC는 프라이버시와 개인의 자유에 역사적인 타격이 될 것이다.

미국 국채
Treasuries

미국 국채는 연방정부가 발행하는 무담보채권으로 안전하고 유동적이며 널리 통용되기 때문에 금융 시스템에서 지배적인 형태의 화폐이다. 미국 국채는 은행예금과 달리 연방정부가 전액 보증하기 때문에 위험이 없으며, 중앙은행 준비금과 달리 누구나 보유할 수 있다. 그리고 법정화폐와 달리 이자를 지급하며 전 세계로 전자적으로 송금할 수 있다. 개인투자자는 대부분의 자금을 은행예금 형태로 보유할 가능성이 높지만, 기관투자자는 이러한 목적으로 미국 국채를 사용한다. 미국 국채는 기본적으로 대형 기관투자자를 위한 자금이다.

다른 종류의 화폐와 비교할 때 미국 국채의 '화폐성(moneyness)' 정도에는 차이가 있다는 점에 유의해야 할 것이다. 은행예금 100달러, 중앙은행 준비금 100달러, 통화 100달러의 명목 가치는 항상 100달러이다. 그러나 100달러 상당의 국채를 구매할 경우 시장 가격에 따라 가치가 변동될 수 있다. 만기가 긴 국채는 인플레이션과 금리의 예상 변화에 더 민감하므로 시장 가치가 가장 크게 변동하는 반면, 만기가 짧은 국채의 시장 가치는 거의 변동하지 않는다. 투자자가 만기까지 미국 국채를 보유하면 이러한 가치 변동은 문제가 되지 않지만 만기 전에 매도하면 이익 또는 손실이 발생한다.

미국 국채는 투자자들에게 많은 돈을 쉽게 보관할 수 있는 방법을 제공한다. 투자자들은 식료품이나 기타 물품 구매에 국채를 사용할 수는 없지만, 국채를 매도하거나 국채를 담보로 돈을 빌려 은행예금으로 쉽게 전환할 수 있다. 국채 현금 시장과 레포 대출 시장은 상당히 유동성이 높고 전 세계 모든 금융 센터에서 24시간 운영된다. 실제로 투자자들은 국채를 실물 경제 상품을 구매하는 데 사용하지 않고 다른 투자에 사용한다. 이를 위해 투자자는 브로커에 국채를 담보로 맡기고 금융자산을 구매할 수 있다. 본질적으로 투자자는 국채를 사용하여 주식이나 채권과 같은 금융자산을 구매할 수 있다.

미국 국채는 미국 재무부가 돈을 만드는 방법이다. 미국 재무부가 투자자에게 100달러의 국채를 발행하면 투자자는 100달러의 은행예금을 100달러의 국채로 교환한다. 투자자의 입장에서는 단순히 한 형태의 돈을 다른 형태로 교환한 것이다. 재무부 입장에서는 자신이 발행한 국채로 돈을 지불함으로써 실물 경제에서 상품과 서비스를 구매할 수 있다. 여러 거래 내역을 따라가 보면 이를 쉽게 이해할 수 있다.

투자자는 미국 국채 매입 후 은행예금이 100달러 줄어들고, 투자자의 상업은행은 투자자를 대신하여 중앙은행 준비금 100달러를 미국 재무부에 송금하여 대금을 정산한다. 미국 재무부는 연준에 계좌를 보유하고 있으므로 중앙은행 준비금도 보유할 수 있다. 미국 재무부가 빌린 100

달러를 사용하면 중앙은행 준비금 100달러는 다시 상업은행 시스템으로 돌아간다. 예를 들어 미국 재무부가 100달러를 사용하여 의사에게 의료보험 비용을 지급했다고 가정해 보자. 그러면 의사의 상업은행은 미국 재무부로부터 중앙은행 준비금 100달러를 수령하고 의사의 은행 계좌에 예금 100달러를 추가한다. 결론적으로 은행 시스템의 은행예금과 중앙은행 준비금 금액은 변하지 않지만, 이제 100달러의 발행 국채가 추가 된다. 투자자는 국채 100달러를 가지고 다른 금융자산을 매입하는 데 사용하거나, 국채를 은행예금으로 매도하여 실물 경제 상품을 구매할 수 있다.

미국 재무부가 100달러의 국채를 발행한 후
의료보험 지급에 자금을 사용할 경우

(Treasury issues $100 in Treasury Securities and then spends the money on Medicare Payments)

미재무부 대차대조표

(Treasury Balance Sheet)

자산 (Assets)	**부채** (Liablities)
+100달러 준비금 (+$100 Reserves) −100달러 준비금 (-$100 Reserves)	+100달러 재무부 부채 (+$100 Treasury debt) −100달러 의료보험 지급 (-$100 Medicare payment)

투자기관의 대차대조표
(Investor's Balance Sheet)

자산 (Assets)	**부채** (Liablities)
−100달러 은행예금 (-$100 Bank deposits) +100달러 국채 (+$100 Treasuries)	

의료기관의 대차대조표
(Doctor's Balance Sheet)

자산 (Assets)	**부채** (Liablities)
−100달러 매출채권 (-$100 Receivables) +100달러 은행예금 (+$100 Bank deposits)	

은행 시스템의 대차대조표
(Banking System's Balance Sheet)

자산 (Assets)	**부채** (Liablities)
−100 달러 준비금, 미국 국채 매입 정산 (-$100 Reserves to settle Treasury purchase)	−100 달러 미국 국채 매입을 위한 투자기관의 예금 (-$100 Investor's Deposits to purchase Treasuries)
+100 달러 준비금, 의료보험 지급 (+$100 Reserves to Medicare payment)	+100 달러 의료보험 서비스를 위한 의료기관의 예금 (+$100 Doctor's deposits for Medicare service)

미국 국채 외에도 다양한 수준의 '화폐성'을 가진 다른 정부 발행 증권도 있다. 미국 국채 다음으로 가장 유동성이 높고 안전한 자산은 기관 주택저당증권(Agency Residential Mortgage Backed Securities, 줄여서 RMBS)이다. 기관 MBS는 정부가 보증하는 주택저당증권이며 위험이 없고 활발하게 거래되지만, 국채에 비해 유동성이 떨어진다. 연준은 국채 매입을 통한 통화정책을 선호하지만, 양적완화 매입 시에는 기관 MBS도 적극적으로 매입한다.

국채 시장이 붕괴될 때
When the Treasury Market Breaks

전 세계 투자자들은 미국 국채를 가지고 은행예금으로 쉽게 전환하여 돈을 지급할 수 있기를 기대한다. 이는 모든 사람이 현금자동인출기(ATM)에 가서 은행예금을 통화로 전환할 수 있기를 기대하는 것과 비슷하다. 어느 날 모든 ATM 기계에 '사용 불가' 표시가 나타난다면 대중은 당황할 것이다. 2020년 3월의 코로나19 패닉 기간 동안 미국 국채 시장에서 실제로 이런 일이 벌어졌다.

2020년 3월, 전 세계 사람들은 두려움에 떨며 달러를 보유하고자 했다. 투자자들은 투자 펀드에서 자금을 인출했고, 외국인들은 자국 통화를 미국 달러로 팔았다. 이러한 인출을 충당하기 위해 투자 펀드와 외국 중앙은행은 마치 ATM 기계에서 돈을 인출하듯 미국 국채를 팔았다. 하지만 이 경우에는 파격적인 할인이 아니면 미국 국채를 팔 수 없다는 사실을 알게 되었다. ATM 기계가 고장 났기 때문이다.

기관투자자가 증권을 매도할 때, 딜러에게 전화하여 딜러가 가격을 제시할 것으로 기대한다. 딜러는 일반적으로 증권을 매수하여 보유하다가 다른 투자자에게 매도하여 가격 차이로 수익을 벌게 된다. 2020년 3월, 많은 투자자들이 딜러에게 전화를 걸어 증권을 팔아 달라고 요청했다. 주택저당증권(MBS)에 투자하기 위해 돈을 빌리는 모기지리츠는 대출금을 상환하기 위해 대량의 기관 MBS를 팔고 있었다. 회사채 ETF는 투자자 인출을 충당하기 위해 채권을 팔려고 했다. 프라임 머니마켓 펀드는 같은 이유로 기업어음을 팔려고 했다. 딜러들은 갑자기 유가증권이 넘쳐나면서 유가증권 재고 보유 한도에 도달했다.

2008년 금융위기 당시 투자자들이 딜러의 재무 상태에 대한 우려로 딜러에게 대출을 거부하면서 딜러에 뱅크런(bank run)[8]이 발생했다. 이로 인해 딜러들은 기존 대출을 상환하기 위해 보유 유가증권을 헐값에 처분하여 금융 공황을 더욱 악화시켰다. 이에 대응하여 규제 당국은 딜러가 많은 양의 증권을 보유하는 것을 어렵게 만들고, 위험한 증권을 보유하는 데 많은 비용을 지불하도록 하는 새로운 규칙을 도입했다. 이러한 규제는 딜러의 재무 상태를 강화했지만, 2020년 3월에는 딜러가 고객으로부터 증권을 매입하는 데 장애물이 되었다. 딜러들은 재고 보유 한도에 도달하여 안전한 국채마저 더 이상 매입할 수 없게 되었다.

투자자들은 금융시장의 혼란을 알고 있었지만 국채마저 팔 수조차 없

---

8 은행이 기업에 대출해 준 돈을 돌려받지 못하거나, 투자에서 손실을 입어 부실해지는 경우, 은행에 돈을 맡겨 두었던 예금주들이 한꺼번에 돈을 찾아가는 대규모 예금 인출 사태를 말한다.

다는 갑작스러운 사실에 놀랐다. 이로 인해 팔 수 있는 모든 것이 팔리는 대규모 패닉이 발생했다. 모든 금융시장이 폭락했다. 연준이 개입할 때까지 시장은 진정되지 않았다.

연준은 딜러의 대차대조표 한계를 인식하고 세 가지 조치를 취했다. 첫째, 연준은 은행 지주회사의 대차대조표 규모를 제한하는 일부 규제를 한시적으로 유예했다. 둘째, 해외 중앙은행이 미국 국채를 매각하지 않고도 달러를 조달할 수 있도록 새로운 해외 레포 창구(Foreign Repo Facility)를 개설했다. 셋째, 연준은 대규모 양적완화를 단행했다. 마지막 포인트는 시장 안정화의 핵심이었다. 몇 주라는 짧은 기간 동안 연준은 딜러들로부터 거의 2조 달러에 달하는 국채와 기관 MBS를 매입했다. 이러한 매입을 통해 딜러는 막대한 증권 재고 보유에 대한 부담을 덜고 고객으로부터 다시 채권을 매입할 수 있는 여력을 확보할 수 있었다. 이를 통해 미국 국채의 '화폐성'이 회복되고 시장 안정에 크게 도움이 되었다.

법정화폐

Fiat Currency

'법정화폐'라는 용어가 생소할 수 있지만 가장 눈에 잘 띄는 돈의 형태이기 때문에 별도의 설명이 필요없다. 화폐는 정부가 인쇄하고 보증한다. 예금자는 상업은행이나 현금자동인출기에 가서 은행예금을 화폐로 바꿀 수 있다. 상업은행은 금고에 충분한 화폐를 보유하여 은행예금을 법정화폐로 자유롭게 전환할 수 있도록 한다. 더 많은 화폐가 필요한 상업은행은 연준에 연락하여 중앙은행 준비금을 화폐로 전환할 수 있다. 연준은 상업은행의 필요를 충족하기 위해 화폐를 실은 방탄차를 보낼 준비가 되어 있다.

법정화폐가 다른 형태의 돈에 비해 갖는 한 가지 중요한 이점은 금융 시스템 외부에 있다는 점이다. 금이나 은과 마찬가지로 화폐는 물리적으로 존재하며 누가 보유하든 상관없이 가치로 인정받는다. 정부는 중앙은행과 상업은행에 대한 권한을 가지고 있기 때문에 금융 시스템의 모든 것을 통제한다. 법을 어긴 사람은 금융 시스템의 어떤 부분에도 접근할 수 없지만 매트리스 밑에 숨겨둔 화폐는 사용할 수 있다. 다른 모든 형태의 화폐는 본질적으로 컴퓨터 화면의 숫자에 불과하다. 실제로 상당량의 100달러 지폐가 정부의 감시를 피하려는 사람들의 가치 저장 수단으로 주로 사용된다는 증거가 있다.

대부분의 화폐는 실제로 해외에 보관되어 있다.
Most Currency is Actually Held Abroad

전자결제의 인기가 높아짐에도 불구하고 화폐의 유통량은 수년 동안 꾸준히 증가하여 2020년에는 약 2조 달러에 달할 것으로 예상된다. 흥미롭게도 100달러 지폐는 가장 많이 유통되는 지폐이다. 100달러 지폐는 150억 장이 유통되고 있으며, 1달러 지폐는 130억 장, 20달러 지폐는 115억 장이 유통되고 있다. 달러 가치 관점에서 보면, 시중에 유통되는 2조 달러의 약 80%가 100달러 지폐이다.

시중에 유통되는 100달러 지폐의 양이 많음에도 불구하고, 대부분의 미국인은 일상 생활에서 100달러 지폐를 보거나 사용하는 경우는 거의 없다. 대신 20달러 이하의 지폐를 자주 사용한다. 연구에 따르면 이는 대부분의 100달러 지폐가 해외에 보관되어 있기 때문이라고 한다.[9]

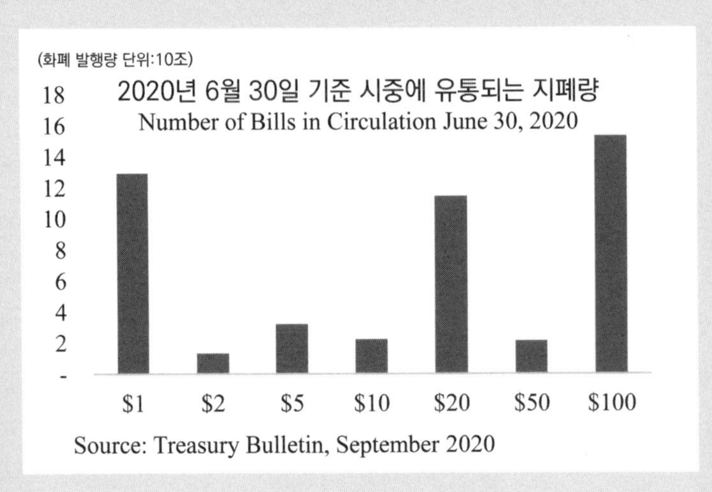

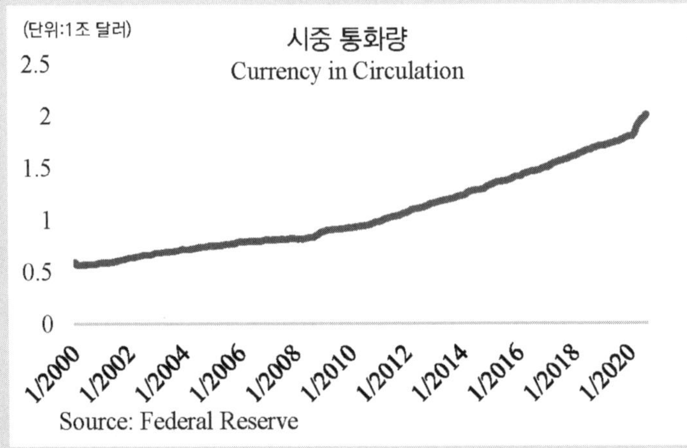

---

9 Judson, Ruth. "The Death of Cash? Not So Fast: Demand for U.S. Currency at Home and Abroad, 1990-2016." In International Cash Conference 2017 – War on Cash: Is There a Future for Cash? Deutsche Bundesbank, 2017. https://econpapers.repec.org/paper/zbwiccp17/162910.htm

해외에서 달러 통화를 많이 보유하는 데에는 몇 가지 이유가 있다. 아르헨티나와 같은 개발도상국의 부유층은 재산의 일부를 미국 달러와 같은 주요 통화로 보관하는 것을 선호하는 경우가 많다. 개발도상국의 경우 경제가 제대로 관리되지 않고 두 자릿수 인플레이션율을 기록하는 경우가 많기 때문이다. 실제로 엘살바도르와 같은 일부 개발도상국에서는 통화정책에 대한 통제권을 완전히 포기하고 달러를 공식 통화로 사용하고 있다. 또한 범죄자들은 운반이 용이하고 추적이 어렵다는 이유로 자산을 달러화 형태로 보유하는 경우가 많다. 실제로 외국 마약 카르텔에 대한 경찰의 급습으로 수억 달러의 화폐가 발견되기도 했다.

전 세계적으로 달러 통화는 금본위제 시대의 금과 같은 가치 저장 수단으로 국제적으로 통용되고 있다. 우리는 현재 미국 달러가 전 세계적으로 널리 통용되고 안전하다고 인식되는 달러 기축통화의 세계에 살고 있다. 이로 인해 역외 달러 뱅킹 붐이 일어났을 뿐만 아니라 달러 통화에 대한 역외 수요도 증가했다.

자주 묻는 질문

Common Questions

이 장은 오늘날의 통화 시스템을 이해하는 데 필요한 프레임워크를 제공하는 것을 목표로 한다. 이 프레임워크를 통해 독자는 중앙은행 조치의 의미를 더 잘 이해하고 가장 일반적인 오해를 불식시킬 수 있을 것이다. 다음은 프레임워크의 적용을 연습하기 위한 몇 가지 일반적인 질문이다.

은행에서 준비금을 빌려주지 않는 이유는 무엇인가?

양적완화가 처음 도입되었을 때 많은 시장 평론가들은 상업은행의 총 지급준비금 수준이 폭발적으로 증가하는 것을 보고 왜 은행이 지급준비금을 대출하지 않는지 의아해했다. 앞서 설명했듯이 중앙은행 준비금은 상업은행만 보유할 수 있으며 연준의 대차대조표를 벗어날 수 없다. 은행이 보유한 중앙은행 준비금 수준은 연준의 조치에 따라 결정되며 상업은행의 대출 금액에 영향을 주지 않는다. 실제로 상업은행은 언제든지 준비금을 빌릴 수 있기 때문에 대출을 결정할 때 준비금의 제약을 받지 않는다.

상업은행의 대출 제약은 규제 또는 상업적 조건으로 인한 것이다. 상업은행은 대차대조표 규모, 자산의 퀄리티, 부채의 구성을 제한하는 수많은 규칙에 의해 엄격한 규제를 받는다. 이러한 규제는 은행 시스템을 더 안전하게 만들지만 대출 가능 금액도 제한한다. 또한 상업은행은 수익을 낼 수 있는 경우에만 대출에 관심을 가지며, 디폴트 가능성이 상대적으로 높은 경기 침체기에는 수익성 있는 차입자를 찾기가 더 어렵다. 2008년 금융위기의 여파가 바로 그런 경우였다.

시중에 남아 도는 현금 때문에 주식시장이 급등할까?

때때로 논평가들은 은행 시스템의 예금 수준을 보고 그 돈이 모두 소비되면 금융자산 가격이 폭등할 것이라고 말한다.

중앙은행 준비금 수준이 연준에 의해 결정되는 것처럼 은행 시스템의 은행예금 수준은 주로 상업은행의 집단적 행동에 의해 결정된다.[10] 은행예금은 상업은행이 자산을 매입하거나 대출을 만들 때 생성되며 대출 또는 자산이 상환되면 소멸된다. 따라서 은행예금 수준은 은행 시스템의 대출 수준을 나타내는 지표가 된다.

투자자가 은행예금으로 주식이나 채권을 매입하면 투자자의 은행예금은 주식이나 채권을 매각한 사람의 은행 계좌로 들어간다. 하지만 은행 시스템에 있는 은행예금의 총액 수준은 변하지 않는다. 은행예금은 본질적으로 상업은행 시스템에서 이동하지만 증가하거나 감소하지 않는다. 따라서 대규모 투자는 은행예금의 총액 수준이 높든 낮든 관계없이 이루어질 수 있다.[11]

---

10 이는 또한 부분적으로 중앙은행의 조치에 의해서도 결정되는데, 지급준비금이 증가하면 은행 예금도 증가한다.

11 은행 시스템의 자금 가용성이 반드시 투자 여력을 제한하는 것은 아니며 은행 예금의 총액 수준과 관계없이 투자 활동이 일어날 수 있다는 점을 강조하고 있다.

2장 돈을 만드는 자들
CHAPTER 2 The Money Creators

이 장에서는 연준, 상업은행, 미국 재무부 등 화폐를 만드는 세 기관에 대해서 자세히 다룬다.

연준
The Fed

연준은 완전 고용과 물가 안정이라는 두 가지 임무를 가지고 있다. 실제로 연준은 완전 고용에 해당하는 실업률을 알지 못하며 10년 넘게 2% 인플레이션 목표에 지속적으로 도달하지 못했다. 연준의 인플레이션 경험은 지난 10년 동안 과감한 실험을 시도했지만 지속적으로 인플레이션 목표 달성에 실패한 일본은행(BOJ), 유럽중앙은행(ECB) 등 다른 주요 중앙은행의 경험과 다르지 않다. 연준은 두 가지 임무를 달성하기 위한 노력으로 정책 도구들을 점차 확장하였고 대규모로 돈을 찍어내는 등 비전통적인 통화정책에 참여하게 되었다.

연준은 금리라는 렌즈를 통해 경제를 바라보는데, 금리는 연준의 임무를 달성하는 주요 수단이다.[12] 연준의 눈에는 경제가 확장하지도 수축하지도 않는 'r*'이라는 중립금리가 있다. 금리가 r*보다 낮으면 경제가 확장되고 인플레이션이 상승하며 실업률이 낮아지고 있는 것이다. 금리가 r*보다 높으면 경제가 둔화되고, 인플레이션은 하락하며, 실업률은 상승하고 있다. 연준은 박사 학위를 가진 소수의 경제학자들을 고용하여 시간이 지남에 따라 변화하는 r*의 현재 수준을 파악한 다음, 금리를 인하하거나 인상하여 그 목표를 달성한다. 연준은 돈을 찍어내어 장기금리에 대한 통제력을 강화한다.

경제가 어려움에 처해 있고 연준의 모델에서 r*이 현재 매우 낮거나 심지어 마이너스인 것으로 나타나면 연준은 경제성장을 촉진하기 위해 금리를 r* 이하로 낮추기 위해 할 수 있는 모든 것을 할 것이다. 먼저 목표 오버나이트 금리(overnight interest rate)[13]를 0으로 인하한 다음, 만기가 긴 국채를 대량으로 매입하여 장기금리를 낮추려고 할 것이다. 그러면 국채 가격이 상승하고 그에 따라 금리가 낮아질 것이다. 만기가 긴 국채는 오버나이트 금리 변화에 덜 민감하므로 연준은 양적완화를 통해 간접적으로 장기금리에 영향을 미치려고 한다.

---

12 Powell, Jerome. "Monetary Policy in a Changing Economy." Speech, August 24, 2018. https://www.federalreserve.gov/newsevents/speech/powell20180824a.htm

13 '오버나이트 금리'는 미국의 경우 연방기금금리(federal fund rate)를 말하며, 은행이 지급준비금 요건을 충족하기 위해 하룻밤 사이에 서로에게 빌려주는 이자율이다. 오버나이트 금리는 연준이 경제의 전반적인 금리 수준에 영향을 미치기 위해 사용하는 주요 정책 도구이다.

공개시장데스크
The Open Markets Desk

공개시장데스크("데스크")는 연준의 트레이딩 데스크이다. 주로 양적완화와 같은 공개시장운영 수행과 시장 정보 수집이라는 두 가지 업무를 담당한다.

데스크는 광범위한 연락처 네트워크를 통해 시장 정보를 수집한다. 주요 접촉 대상은 프라이머리딜러[14]이며, 이들은 프라이머리딜러 업무의 일환으로 데스크와 대화할 의무가 있다. 2차적으로 데스크는 상업은행, 정부후원기업, 헤지펀드, 연기금, 기업 재무 담당자 및 소규모 딜러와 대화한다. 일반적으로 금융시장에서 가장 중요한 실무자들은 데스크와 관계를 맺고 있다. 이러한 2차적 정보원들(세컨더리딜러)은 프라이머리딜러처럼 데스크와 대화할 의무는 없지만, 일반적으로 데스크와 관계를 유지하는 데 만족한다. 이들은 대화 내용이 기밀로 유지된다는 점을 이해하고 연준의 업무 수행을 기꺼이 돕는다.

데스크에서 수집한 시장 정보는 간단한 리서치 노트와 일일 보고서를 통해 연방준비제도 시스템 전체에 배포된다. 데스크는 매일 아침 블룸버그에서 본 내용과 시장 관계자로부터 수집한 정보를 바탕으로 금융시장 동향에 대해 매일 아침 통화한다. 중앙에 긴 나무 책상이 있고 벽을 따라 좌석이 놓여 있는 대형 회의실인 데스크 브리핑 룸에서 진행하

---

14 프라이머리딜러는 미국 국채 경매에 직접 참여할 수 있는 권한이 있는 금융기관 또는 증권 딜러를 말한다. 이들의 역할에 대한 자세한 내용은 3장에서 다룬다.

며 연준의 모든 관계자들이 초대된다. 시장이 스트레스를 받을 때 이 통화에는 연준의 최고위급 관계자가 참석한다. 통화 후에는 정책 결정자들이 질문하고 브리핑 룸에 앉아 있던 각 주제별 전문가(subject matter experts)가 자리에서 일어나 답변하는 질의응답 시간이 있다.

일일 브리핑 외에도 데스크의 주제별 전문가는 전문 분야 개발에 대한 연구 노트를 주기적으로 발행한다. 내부적으로 발행되는 이러한 노트는 연준의 기밀 데이터와 시장 정보를 기반으로 한다.

운용과 관련하여 데스크는 다른 트레이딩 플로어와 마찬가지로 자산 클래스별로 구성된다. 주요 자산군은 국채, 모기지, 머니마켓이다. 각 팀 내에서 트레이더는 매주 다른 운용 책임을 맡는 순환 근무 체제로 운영되며, 리서치에 집중하기 위해 일주일에 한 번씩 휴가를 받기도 한다. 이는 부분적으로는 모든 트레이더가 각 운용 방법을 숙지하도록 하기 위함이고, 직원들이 지루하지 않도록 하기 위함이다. 한 주에는 트레이더가 데스크의 역레포 운용을 맡고, 다음 주에는 데스크의 벤치마크 기준금리 발표를 위해 일찍 출근할 수 있다.

연준은 양적완화(QE)를 실시할 때 매입할 자산의 양, 매입 속도, 매입 자산의 종류 등을 발표하지만 시장이 어떻게 반응할지는 미리 알 수 없다. 이는 시장에 이미 가격이 반영된 것인지 명확하지 않기 때문에 시장 반응을 예측하기가 매우 어렵다는 점에서 이해할 수 있다. 연준은 내부 모델을 기반으로 프로그램의 규모를 결정하고 다양한 시장 참여자를 대상으로 설문조사를 실시하여 시장의 기대치를 파악하려고 한다. 그런 다음 연준은 특정 증권을 너무 많이 매입하여 정상적인 시장 기능이 손상되는 것과 같은 잠재적 부작용을 염두에 두고 지속적으로 프로그램을 조정할 것이다.

연준은 금융자산을 매입할 때 은행 지급준비금(bank reserve)을 조성하여 그 대금을 지불한다. 비은행 기관은 연준에 계좌가 없기 때문에 준비금을 보유할 수 없다. 연준이 비은행 투자자로부터 금융자산을 매입하면 연준은 투자자의 상업은행에 준비금을 보내 돈을 지급한다. 그러면 상업은행이 연준이 보낸 준비금을 투자자의 은행 계좌에 입금한다. 이 경우 투자자가 준비금을 보유할 수 없기 때문에 상업은행이 연준과 투자자 사이의 중개자 역할을 하는 것이다. 연준의 자산 매입 조치는 은행 시스템 내 중앙은행 준비금과 상업은행 예금의 수준을 증가시킨다.

연준의 양적완화 목표는 장기금리를 낮추는 것이며, 지급준비금과 은행예금의 증가는 필수적인 부산물이다. 학계 모델에 따르면 양적완화는 금리를 낮추는 데 효과적이며 인플레이션을 높이는 데 도움이 된다.[15] 그러나 미 연준, 일본은행, 유럽중앙은행의 경험에 따르면 대규모 양적완화만으로 인플레이션을 지속적으로 끌어올리기에는 충분하지 않다. 세 주요 중앙은행 모두 10년 넘게 인플레이션 목표치에 도달하는 데 어려움을 겪었지만 양적완화의 유용성을 여전히 믿고 있다.

양적완화는 금융자산의 가격을 상승시키는 것처럼 보이지만 반드시

---

15 Engen, Eric, Thomas Laubach, and Dave Reifschneider. "The Macroeconomic Effects of the Federal Reserve's Unconventional Monetary Policies." Finance and Economics Discussion Series 2015-005. Washington: Board of Governors of the Federal Reserve System, 2015. http://dx.doi.org/10.17016/FEDS.2015.005

경제활동을 촉진하지는 않는다. 양적완화는 본질적으로 국채를 은행예금과 준비금으로 전환하여 상업은행 전체가 중앙은행 준비금 형태로 더 많은 돈을 보유하게 하고, 비은행 기관 전체가 은행예금 형태로 더 많은 돈을 보유하게 된다. 인플레이션은 경제의 수요가 공급을 초과할 때 발생하며 국채로 보유된 돈은 실물 경제에서 소비되지 않을 가능성이 높다. 국채를 은행예금과 교환해야 하는 비은행 기관들은 은행예금을 수익률이 높은 회사채로 바꾸거나 주식에 투기할 수 있다. 규제로 인해 투자 옵션이 제한적인 은행은 준비금을 더 높은 수익률의 기관 MBS로 교환할 수 있다. 비은행과 은행 간의 포트폴리오 리밸런싱은 자산 가격을 상승시킨다.

중앙은행이 할 수 있는 양적완화 규모에는 제한이 없는 것으로 보인다. 연준이 몇 조 달러의 자산을 매입했지만 이는 미국 GDP의 일부에 불과하다. 일본은행(Bank of Japan, 줄여서 BOJ)은 일본 GDP의 100%가 넘는 자산을 매입했지만 아직 금융 불안이나 통화 약세의 조짐은 보이지 않고 있다. 그러나 일본은행의 대규모 자국 국채 보유는 실제로 일본 채권시장을 파괴했다. 일본 채권시장은 근본적인 경제 상황을 반영하기보다는 일본 정책 입안자의 지시만 반영하는 것처럼 보인다. 어떤 날에는 일본 국채가 전혀 거래되지 않는다.[16]

---

16 Anstey, Chris, and Hidenori Yamanaka. "Not a Single Japanese 10-Year Bond Traded Tuesday." Bloomberg, March 13, 2018. https://www.bloomberg.com/news/articles/2018-03-14/not-a-single-japanese10-year-bond-traded-tuesday-death-by-boj

중앙은행 커뮤니티
Central Banker Community

국제 중앙은행 커뮤니티는 놀라울 정도로 긴밀하게 연결되어 있으며, 빈번한 회의와 직원 교류가 지속적으로 이루어지고 있다. 물론 이는 우호적인 관계에 있는 국가에 국한된 이야기이다. 데스크에는 유럽중앙은행, 일본은행, 영란은행 등 주요 중앙은행과 다른 소규모 중앙은행의 파견 직원이 항상 상주하고 있다. 파견 직원들은 1~2년 동안 한시적으로 데스크에 합류하며, 파견 기간 동안 미국 직원과 동일한 책임과 보안 허가를 받는다. 이들은 대체로 최고 수준의 능력을 갖추고 있으며, 보통 이들이 본국의 중앙은행으로 복귀하면 상당한 승진 혜택을 받는다.

보다 공식적으로는 매월 여러 중앙은행과 금융시장 상황에 대해 컨퍼런스 콜이 있다. 보통 일본은행(BOJ), 영란은행(BOE), 유럽중앙은행(ECB), 스위스국립은행(SNB), 캐나다은행(BOC)이 컨퍼런스 콜에 참석한다. 컨퍼런스 콜에서 각 은행의 담당자는 자국 금융시장의 상황에 대해 간략한 업데이트를 제공하고 질문을 주고 받는다. 데스크는 특히 일본은행과 긴밀한 관계를 맺고 있으며, 일본은행의 직원들과 매일 만나 시장 상황에 대해 논의할 수 있다.

또한 데스크는 유럽중앙은행 및 일본은행와 정기적으로 공식 고위급 회의를 개최한다. 이 회의는 도쿄, 프랑크푸르트, 뉴욕에서 번갈아 가며 개최된다.

상업은행
Commercial Bank

상업은행은 정부로부터 화폐를 발행할 수 있는 라이선스를 보유한 특수한 유형의 사업체이다. 일반 대중이 사용하는 거의 모든 돈은 상업은행에서 만들어진다. 상업은행이 돈을 만드는 능력은 경제에서 없어서는 안 되는 부분이며, 은행들이 더 많은 돈을 만들면 더 많은 경제성장이 이루어진다. 상업은행의 기본 비즈니스 모델은 은행이 보유한 자산과 부채 사이의 이자율 차익을 올리는 것이다. 상업은행이 보유한 자산은 주로 은행이 만든 대출이며 여기에는 모기지 대출, 기업 대출, 소비자 대출 등이 포함된다. 또한 상업은행은 일반적으로 국채나 기관 MBS와 같은 우량 증권을 투자 자산으로 보유한다.

부채 측면에서 상업은행 부채의 대부분은 개인이 은행에 예치한 예금인 소매예금(retail deposits)이다. 기타 부채에는 머니마켓펀드와 같은 기관투자자들에게 빚진 예금인 도매예금(wholesale deposits)이 포함된다. 소매예금은 이자가 거의 발생하지 않지만 도매예금은 시장금리와 동등한 이자를 받는 경향이 있다. 이는 개인 예금자가 금리에 덜 민감한 경향이 있기 때문이다. 개인투자자는 이자를 받지 못하더라도 은행에 예금을 유지하는 반면, 기관투자자는 금리에 매우 민감하며 다른 곳에서 조금이라도 더 높은 이자를 받기 위해 예금을 인출할 의향이 있다. 상업은행은 소매예금을 더 많이 보유하는 것을 선호하는 데 그 이유는 금리비용(interest rate costs)이 낮고 안정적이기 때문이다. 기관투자자들은 시장에 문제가 생기면 예금을 인출하는 경향이 있으며, 이러한 예금에 의존하던 상업은행은 자금 조달에 어려움을 겪게 된다.

상업은행은 대출을 하고, 예금을 만들고, 이자 수입이 쌓이는 훌륭한 비즈니스처럼 들린다. 하지만 이 모든 일이 순조롭게 진행되기 위해서는 몇 가지 중요한 작업이 뒷받침되어야 한다. 상업은행은 지급 능력(solvency)과 유동성(liquidity)이라는 두 가지 근본적인 문제에 직면해 있다. 지급 능력은 은행이 창출하는 예금이 건전한 대출로 뒷받침되는지 확인하는 것이며, 유동성은 예금이 다른 상업은행이 창출하는 은행예금 및 법정화폐로 자유롭게 전환될 수 있도록 하는 것이다.

가장 이상적인 시나리오는 상업은행이 차입자에게 대출을 해주고 차입자가 원금과 이자를 성실하게 상환하는 것이다. 미국의 부분지급준비제도 시스템에서 상업은행은 100달러의 대출과 예금을 만드는 데 약 5달러의 보유 자금만이 필요하다. 사업이 잘되면 은행 소유주는 5달러만 투자해도 100달러의 대출에 대한 이자를 얻을 수 있다. 그러나 차입자가 대출을 불이행하면 상업은행은 손실을 감수해야 한다. 이 예에서 5달러 상당의 대출이 채무불이행으로 상각(대손상각)되면 상업은행은 지급 불능 상태가 되어 파산 신청을 해야 할 수도 있다.

레버리지가 높은 상업은행의 특성상 많은 돈을 벌 수 있는 동시에 빠르게 파산할 수 있는 위험도 존재한다. 과거 은행 위기가 자주 발생한 것은 놀라운 일이 아니다. 따라서 상업은행은 대출을 제공할 때 매우 신중해야 한다. 차입자의 재무 상황과 대출 목적을 조사하여 차입자의 신용도를 확인하고, 추가 보증이나 담보를 요구하기도 한다. 예를 들어 모기지 대출은 차입자가 구입하려는 주택을 담보로 한다. 채무불이행이 발생하면 은행은 주택을 압류하고 매각하여 대출금을 상환할 수 있다.

상업은행이 해결해야 하는 두 번째 문제는 유동성이다. 은행이 신용도가 높은 차입자에게 100달러를 대출했는데, 차입자가 다른 상업은행과 거래하는 공급업체에 대금을 지불하기 위해 즉시 돈을 인출한다고 가정해 보자. 상업은행은 다른 상업은행과의 지급을 정산할 수 있는 충분한 중앙은행 준비금과 예금자의 인출에 대비해 충분한 화폐를 보유하고 있어야 한다. 만약 상업은행이 준비금이나 화폐의 보유량이 적거나, 보유자산이 유동적이지 않아 쉽게 매각할 수 없다면, 이는 문제가 될 수 있다. 지급이나 인출을 처리할 수 없는 은행은 근본적으로 건전하더라도 예금자들을 불안케 할 가능성이 높다.

유동성 문제를 해결하기 위해 상업은행은 고객의 일일 지급 수요를 면밀히 조사한 다음 이러한 수요를 충족할 수 있는 충분한 유동성 자산을 보유하려고 노력한다. 이러한 자산은 일반적으로 중앙은행 준비금이지만, 미국 국채 또는 기관 주택저당증권(RMBS)일 수도 있다. 은행이 유동성을 과소평가한 경우에도 다른 상업은행이나 기관투자자로부터 돈을 빌릴 수 있으며, 최후의 수단으로 상업은행은 연준의 할인 창구(discount window)에서 돈을 빌릴 수 있다. 이 마지막 옵션은 은행에 매우 부정적인 영향을 미친다. 그 이유는 은행이 자본잠식에 빠지고 민간 부문에서 아무도 은행에 대출을 해주지 않는다는 것을 의미하기 때문이다. 할인 창구 대출은 모든 상업은행의 최후의 수단이다.

다음 두 가지 시나리오는 은행이 하나뿐인 세상과 은행이 두 개인 세상에서 돈의 지급이 어떻게 이루어지는지 보여주는 예시이다.

I. 은행이 하나밖에 없는 세상 (A world with only one bank)

알파 은행의 대차대조표
(Alpha Bank's Balance Sheet)

자산 (Assets)	**부채** (Liablities)
준비금 (Reserves)	자기자본 (Equity)
+100만 달러 존에게 대출	+ 100만 달러 존에게 예치
	- 100만 달러 팀에게 송금
	+ 100만 달러 팀에게 예치

전 세계에 알파 은행이라는 은행이 하나만 있다고 가정해 보자. 존이라는 농부는 알파 은행에 가서 나무꾼 팀에게 목재 대금을 지불하기 위해 100만 달러를 대출해 달라고 요청한다.

알파 은행은 존의 재무 상태를 살펴보고 신용 위험이 낮다고 판단한 후 대출을 승인한다. 알파 은행은 몇 번의 키 입력만으로 존의 은행 계좌에 100만 달러를 입금한다. 존은 자신의 은행 계좌에 로그인하여 100만 달러를 확인한 후 그 돈을 팀에게 송금한다. 전 세계에서 하나밖에 없는 은행인 알파 은행은 컴퓨터에 접속하여 존의 계좌에서 팀의 계좌로 100만 달러를 옮기기만 하면 된다. 은행이 하나뿐인 세상에서는 모든 거래가 은행의 대차대조표에서 이루어지기 때문에 유동성 문제가 존재하지 않는다.

II. 두 개의 은행이 있는 세상 (A world with two banks)

이번에는 세상에 알파 은행과 제드 은행이라는 두 개의 은행이 있다고 가정해 보자. 이번에는 농부 존은 알파 은행에, 나무꾼 팀은 제드 은행에 계좌를 보유하고 있다. 존은 알파 은행에서 대출을 받은 후 자신의 은행 계좌에 로그인하여 팀의 제드 은행 계좌로 100만 달러를 송금하도록 요청한다. 이 경우 알파 은행은 더 이상 장부에서 단순히 숫자를 섞을 수 없으며 제드 은행에 지불금을 보내야 한다. 알파 은행은 중앙은행 준비금 100만 달러를 제드 은행에 송금하고, 제드 은행은 송금을 받은 후 팀의 계좌에 100만 달러를 추가한다.

알파 은행의 대차대조표
(Alpha Bank's Balance Sheet)

자산 (Assets)	**부채** (Liablities)
준비금 (Reserves)	자기자본 (Equity)
+ 100만 달러 존에게 대출	+ 100만 달러 존에게 예금
- 100만 달러 준비금 제드 은행에 송금	- 100만 달러 존이 팀에게 송금

제드 은행의 대차대조표
(Zed Bank's Balance Sheet)

자산 (Assets)	**부채** (Liablities)
준비금 (Reserves)	자기자본 (Equity)
+ 100만 달러 준비금 알파 은행에서 수령	+ 100만 달러 팀에게 예금

만약 알파 은행에 팀에게 목재 대금 지급을 위한 은행 준비금이 충분하지 않은 경우, 알파 은행은 준비금을 빌려야 할 것이다. 알파 은행은 제드 은행으로부터 중앙은행 준비금을 빌린 다음, 팀을 위한 지급금으로 처리하여 송금할 수 있다. 알파 은행은 최후의 수단으로 연준의 할인 창구에서도 돈을 빌릴 수 있다. 비은행 기관은 중앙은행 준비금을 보유할 수 없지만, 알파 은행은 머니마켓펀드와 같은 비은행 기관에서 돈을 빌릴 수 있다. 이는 비은행 기관과 거래하는 은행이 대출금을 정산하기 위해 알파 은행에 준비금을 송금해야 하기 때문이다. 알파 은행은 비은행 기관에 대한 예금 부채를 대차대조표에 기재하게 되며, 이는 자산인 중앙은행 준비금과 균형을 이룬다.

신용 창출 한도

Limits on Credit Creation

상업은행이 마치 마법의 돈 나무인 것처럼 들리지만, 은행이 만들 수 있는 돈의 양에는 한계가 있다. 이러한 한계는 규제와 수익성에서 비롯된다. 은행은 역사적으로 금융위기가 발생하기 쉽기 때문에 규제를 많이 받는다. 대형 은행은 잦은 규제 보고 외에도 규제 당국이 은행에 상주하며 은행의 일상적인 업무를 감독한다. 규제 중 하나는 레버리지 비율(leverage ratio)로, 일정 수준의 손실흡수 자본(loss-absorbing capital)에 대해 은행의 대차대조표 규모를 제한한다. 예를 들어, 레버리지 비율 20배 규칙에 따라 자본금이 5달러인 은행은 100달러 상당의 자산만 보유할 수 있다. 레버리지 비율은 은행이 잠재적 손실을 흡수할 수 있는 충분한 자본을 보유하도록 하기 위해 고안되었다. 또 다른 중요한 규제는 자본 비율(capital ratio)로, 은행은 투자 위험도에 따라 일정 수준의 자본을 보유해야 한다. 예를 들어 기업 대출로 포트폴리오를 구성하는 은행은 국채로 포트폴리오를 구성하는 은행보다 더 많은 자본을 보유해야 하는 것이다.

더 넓은 의미에서 상업은행의 자금 창출은 투자 기회에 의해 제한된다. 은행의 주식투자자는 높은 투자 수익을 원하기 때문에 은행이 더 높은 이자 수익을 올리는 투자를 하기를 원한다. 경제가 호황을 누리고 있을 때 많은 차입자들은 수익성 있는 프로젝트에 자금을 조달하기 위해 높은 이자율을 지불할 의향이 있지만, 경기 침체기에는 가치 있는 기회가 훨씬 적다. 따라서 은행은 경제 호황기에 더 많은 돈을 발행한다. 경기 침체기에는 은행이 대출을 축소할 수 있으며, 화폐 수요가 감소함에 따라 자연스럽게 화폐 공급 또한 감소할 수 있다.

은행을 공부하는 방법
How to Study Banks

은행 대차대조표에 대한 다양한 데이터가 공개되어 있으며 은행 시스템에서 어떤 일이 일어나고 있는지 이해하는 데 도움이 된다. 개별 은행 수준에서 미국 은행은 분기마다 연방금융기관감독위원회(FFIEC)에 제출하는 콜리포트에 상세한 대차대조표 데이터를 공개적으로 보고한다 (양식 FFIEC 031/041/02). 미국 전체 은행 시스템 수준에서는 연준이 매주 H.8

데이터 발표를 통해 집계된 데이터를 보고한다. 글로벌 은행 시스템 수준에서는 국제결제은행(Bank for International Settlements, 줄여서 BIS)이 분기마다 국제은행통계(International Banking Statistics)에 집계된 데이터를 보고한다.

콜리포트(Call Reports)

콜리포트는 모든 미국 상업은행과 외국 은행의 미국 지점이 분기별로 제출해야 하는 규제 서류이다. 이 보고서에는 은행이 투자하는 대출 및 증권의 유형과 은행이 의존하는 예금의 유형을 포함하여 은행의 대차대조표에 대한 분기말 스냅샷이 제공된다. 이 서류는 특정 은행이 좋은 투자처인지 파악하려는 애널리스트에게 매우 유용하고 상세한 내용을 담고 있다. 애널리스트는 보고서를 통해 은행의 비즈니스 모델과 위험도를 파악할 수 있다. 보고서는 매 분기 종료 후 약 6주 후에 FFIEC 웹사이트에서 공개된다.

주간 H.8(Weekly H.8.)

'미국 상업은행의 자산과 부채(Assets and Liabilities of Commerical Banks in the United States)'라는 제목의 H.8은 연준에서 발행하는 주간 간행물로, 미국 내 상업은행의 대차대조표 데이터를 집계하여 제공한다. 이 데이터는 콜리포트만큼 상세하지는 않지만 더 자주 발행되며 거시 경제 동향을 연구하는 모든 애널리스트에게 유용하다. 예를 들어, 2020년 코로나19 위기 당시 많은 기업이 높은 수준의 경제 불확실성 속에서 현금을 비축하고 있는 것으로 알려졌다. 기업 대출이 급증하면서 기업들이 추가 현금을 확보하기 위해 리볼빙 대출에서 돈을 인출하고 있음을 H.8에서 명확하게 확인할 수 있다. 또한 H.8은 연준의 공격적인 자산 매입을 반영한 은행 부문의 총지급준비금 급증과 기록적인 높은 실업률로 소비자들이 소비를 줄이면서 소비자 신용이 감소한 것을 명백히 보여주었다.

국제은행데이터(International Banking Data)

BIS는 전 세계 중앙은행으로부터 데이터를 수집하여 은행 시스템이 국제적인 수준에서 어떻게 구성되어 있는지 보여주는 집계 데이터를 발표한다. BIS는 두 가지 은행 통계를 발표하는 데 지역은행통계(Locational Banking Statistics, 줄여서 LBS)와 통합은행통계(Consolidated Banking Statistics, 줄여서 CBS)로 나뉜다. 두 데이터는 서로 보완적인데, LBS는 보고 국가 내 은행의 다른 국가 거주자에 대한 활동을 보여주는 반면 CBS는 국적별 은행의 활동과 다른 국가 거주자에 대한 활동을 보여준다. 예를 들어, LBS는 미국에 위치한 은행이 프랑스 거주자에게 부담하는 부채 수준을 알려준다. 프랑스 은행의 미국 지점이 미국에 있기 때문에 여기에는 프랑스 은행 미국 지점의 부채가 포함된다. CBS는 프랑스 은행 미국 지점의 부채를 제외하고, 미국 은행이 프랑스 거주자에게 부담하는 부채 금액을 알려줄 수 있다. 국제은행데이터는 매우 광범위하고 포괄적이며 글로벌 금융 시스템을 이해하려는 거시 경제 애널리스트에게 가장 유용하다. 실제로 역외 달러 뱅킹 시스템은 BIS 데이터를 통해서만 이해할 수 있다.

실제로 공공 부문은 민간 부문이 보는 것보다 상업은행에 대한 훨씬 더 좋은 데이터를 많이 보유한다. 2008년 금융위기 이후 시행된 규제는 연준과 기타 규제 당국에 매우 상세한 데이터를 높은 빈도로 수집할 수 있는 막대한 권한을 부여했으며, 심지어 대형 은행의 경우 이러한 데이터 수집은 매일 이루어진다. 따라서 2008년과 같은 은행 위기가 발생할 가능성은 거의 없다. 불안정성은 대개 규제 당국이 인식하지 못하는 시장의 특정 부분에서 발생하는데, 다음 장에서 다룰 그림자 금융 부문이 바로 이러한 영역이다.

미국 재무부
The Treasury

미국 재무부는 세금을 징수하고 재무부 증권(미국 국채)을 발행하는 미국 정부 기관이다. 재무부가 발행할 국채의 양을 결정하는 것은 아니며, 연방정부의 재정 적자 규모에 따라 미국 국회가 국채의 발행량을 결정한다. 의회는 연방정부의 조세수입(tax revenues)과 지출을 결정하는 법률을 제정하며, 그 차액이 바로 재정 적자이다.

그러나 재무부는 재정 적자에 대해 자금 조달 방법을 결정한다. 따라서 재무부는 금리 곡선의 형태에 영향을 미치며, 만기가 긴 채권의 발행을 결정하면 곡선이 가파르게 되고, 만기가 짧은 채권을 더 많이 발행하면 곡선이 더 평평해진다. 어떤 만기 구간에서든 부채 공급이 증가하면 해당 기간의 부채 가격이 낮아져 수익률(금리)이 높아진다. 재무부의 부채 관리 전략의 가장 중요한 원칙은 시간이 지남에 따라 납세자에게 가장 낮은 자금 조달 비용을 제공하는 것이다. 이를 위해 재무부는 민간 부문의 의견과 함께 자체 분석을 수행하여 적자를 충당할 수 있는 가장 저렴한 방법을 결정한다. 예를 들어, 연준이 양적완화를 통해 장기국채의 수익률에 하방 압력을 가하자 재무부는 장기국채의 저금리를 활용하기 위해 장기 부채의 발행을 조정했다.

미국 재무부는 정기적이고 예측 가능한 속도로 국채를 발행하는 것을 목표로 하며, 분기별로 규모와 빈도를 약간씩 조정한다. 이는 최근 몇 년 동안 수조 달러에 달하는 연간 발행 규모 때문에 중요하다. 발행되는 채권 규모를 정확하게 예측하고 그에 따라 준비할 수 있다면 시장은 발행을 더 쉽게 소화할 수 있다. 시장을 놀라게 하면 금리가 급등할 수 있으며, 이는 혼란을 야기할 수 있다. 재무부는 매 분기 초에 예상 연방 지출, 조세수입, 부채 만기, 분기 말 보유하고자 하는 현금 보유량을 기반으로 예상 자금 조달 수요를 발표한다. 재무부는 최소한 5일간의 자금 유출을 충당할 수 있는 충분한 현금을 보유하는 것을 목표로 한다.

예상치 못한 국채 발행 조정이 필요한 경우 재무부는 단기국채를 발행하여 차액을 메운다. 이는 시장이 장기부채보다 단기부채의 변화를 더 잘 소화할 수 있기 때문이다. 예를 들어, 2020년 3월 의회가 2조 2,000억 달러 규모의 CARES 경기부양책[17]을 통과시켰을 때 재무부는 1년 이내에 만기가 도래하는 1조 5,000억 달러 규모의 단기국채를 통해 필요

---

17 2020년 코로나19 위기의 경제 여파에 대응하기 위한 경기 부양책

한 자금의 대부분을 충당했다. 이 국채는 단기 투자로 지속적으로 롤오버[18]해야 하는 4조 달러 이상의 자산을 보유한 머니마켓펀드가 쉽게 소화할 수 있었다. 반면에 장기국채 시장은 투자 기간이 길고 단기 변동에 대응할 수 있는 능력이 떨어지는 투자자들로 구성된다. 연기금, 보험사, 국부펀드 등 이러한 투자자들은 국채 발행이 급증하더라도 갑자기 투자할 자금이 더 많아지지는 않을 것이다.

미국 국채 발행은 말 그대로 미국 정부에 대한 신뢰만으로 뒷받침되기 때문에 중앙은행 준비금이나 은행예금과는 다르다. 중앙은행 준비금은 매입한 안전 자산에 의해 뒷받침되며, 본질적으로 한 종류의 화폐를 다른 종류의 화폐로 교환하는 것이다. 은행예금은 대출에 의해 뒷받침되며, 결국 상환되어 화폐의 양을 감소시킨다. 미국 재무부는 수조 달러에 달하는 국채를 발행했지만 이를 상환할 계획이 없는 것으로 보인다. 대신 국채 발행은 계속해서 빠른 속도로 증가하고 있다. 이는 화폐를 인쇄하여 상품과 서비스를 구매하는 것이기 때문에 인플레이션에 영향을 미치지만, 총 인플레이션을 결정하는 여러 요인 중 하나에 불과하다.

많은 시장 참여자는 미국 부채의 증가를 보고 부채 위기가 임박했다고 주장했다. 그러나 일본과 같이 미국보다 GDP 대비 부채비율이 훨씬 높은 국가도 있으며, 미국 국채 발행이 급증했음에도 불구하고 국채금리는 끊임없이 하락하고 있다. 미국 재무부가 발행할 수 있는 국채의 양에는 분명히 한계가 있지만 그 한도가 얼마인지는 명확하지 않다.

18 대출을 갱신하거나 연장하는 것을 뜻한다.

3장 그림자 은행
CHAPTER 3 The Shadow Banks

'그림자 은행(shadow bank)'이라는 용어는 신비스럽고 다소 불길하게 들릴지도 모른다. 그림자 은행은 상업은행이 아니지만 은행과 유사한 활동을 하는 사업체일 뿐이다. 그림자 은행은 상업은행과 마찬가지로 대출을 하거나 자산을 매입하여 유동성 및 신용 위험을 감수한다. 하지만 상업은행처럼 은행예금을 만들 수 없기 때문에 대신 투자자로부터 돈을 빌려 자산을 조달한다. 그림자 은행은 돈을 창출하기보다는 중개자 역할을 하는 것이다.

그림자 은행은 일반적으로 상업은행보다 더 위험한 활동을 하는 여러 금융기관들을 포함한다. 이전 장에서 설명했듯이 상업은행은 엄격한 규제를 받으며 광범위한 공개 요건을 따른다. 심지어 대형 상업은행은 규제 담당자가 매일 현장에 상주하며 규정 준수 여부를 모니터링하기도 한다. 그러나 이러한 까다로운 요건에는 은행이 연준의 할인 창구에서 대출을 받을 수 있고 예금자는 FDIC 예금보험의 보호를 받을 수 있다는 이점이 있다. 그림자 은행은 일반적으로 상업은행보다 운영에 많은 제약이 없기 때문에 더 높은 수익을 올릴 수 있지만, 그림자 은행의 투자자는 공공 부문과 동일한 보호를 받지 못한다. 대신 그림자 은행의 투자자는 다른 민간 부문 보호에 의존해야 한다. 이러한 보호에는 민간 보험사가 제공하는 보험, 신용 디폴트 스왑과 같은 파생상품 헤지, 신용평가기관이 제공하는 보증 등이 있다.

그림자 은행의 기본 비즈니스 모델은 단기 대출을 사용해 만기가 긴 자산에 투자하는 것이다. 일반적으로 장기금리는 단기금리보다 높기 때문에 이러한 불일치로 인해 수익 창출의 기회가 생긴다. 또한 그림자 은행는 더 위험한 자산에 투자하여 위험 프리미엄을 얻을 수 있다. 그림자 은행은 은행과 유사한 비즈니스 모델 때문에 투자자가 대출 갱신을 거부할 경우 뱅크런에 취약할 수 있다. 최후의 수단으로 연준으로부터 대출을 받을 수 없다면, 그림자 은행은 투자자의 인출을 충당하기 위해 자산을 매각해야 할 것이다. 패닉 상황에서는 자산을 큰 폭으로 할인된 가격에 매각해야 하므로 잠재적으로 큰 손실이 발생할 수 있다. 2008년 금융위기와 2020년 코로나19 패닉은 그림자 금융 시스템의 운영이 주요 원인이었다.

그림자 금융 시스템은 엄격한 정의를 따르지는 않지만 일반적으로 딜러, 머니마켓펀드, 상장지수펀드(ETF), 투자펀드, 자산유동화회사와 같은 기관을 포함한다. 최근 수십 년 동안 그림자 금융 시스템은 전통적인 상업은행 시스템보다 더 크고 영향력 있는 시스템으로 성장했다. 다음 섹션에서는 프라이머리딜러, 머니마켓펀드, 상장지수펀드, 모기지리츠, 사모투자펀드, 자산유동화회사 등 주목할 만한 그림자 은행 몇 가지를 소개한다.

프라이머리딜러
Primary Dealers

프라이머리딜러는 연준과 직접 거래할 수 있는 특권을 가진 딜러 그룹이다. 이들은 금융 시스템의 핵심이자 연준의 공개시장운영의 주요 전달자이다. 연준은 프라이머리딜러를 통해서만 통화 운용을 수행한다.[19] 예를 들어 연준이 국채를 매입하여 양적완화를 실시할 때는 프라이머리딜러를 통해서만 국채를 매입한다.[20] 현재 24개의 프라이머리딜러가 있으며, 대부분 대형 외국 은행 또는 미국 은행과 제휴하고 있다.[21] 이는 프라이머리딜러가 소규모 딜러에게는 비용이 많이 드는 특정 요건과 의무를 충족해야 하기 때문이다. 예를 들어, 프라이머리딜러는 규제 당국에 항상 공시하고, 미국 국채 경매에 참여하고, 데스크에 시장 정보를 제공해야 할 의무가 있다.

일반적으로 딜러는 금융상품을 파는 슈퍼마켓과 같다. 슈퍼마켓은 생산자로부터 다양한 상품을 사서 보관한 다음 소비자에게 가격을 올려서 판매한다. 같은 방식으로 딜러는 회사채나 미국 국채와 같은 다양한 금융상품을 매입한 다음 금융상품을 구매할 의향이 있는 다른 투자자를 찾을 때까지 해당 금융상품을 보유한다. 딜러는 금융상품을 담보로 레포

---

19 비상 상황에서 연준은 기업어음 자금지원창구와 같은 임시 프로그램을 관리하기 위해 PIMCO 나 블랙록과 같은 대형 자산운용사를 활용하기도 했다.

20 연준과의 모든 국채 거래는 연준의 독점 거래 소프트웨어인 FedTrade를 통해 이루어진다. 연준이 프라이머리딜러에게 운용 일정을 알려주면 프라이머리딜러가 참여한다.

21 For a current list of primary dealers, see https://www.newyorkfed.org/markets/primarydealers.html

시장에서 돈을 빌려 금융상품 재고에 자금을 조달한다. 이는 보통 오버나이트 대출로, 딜러가 금융상품을 매입하려는 투자자를 찾을 때까지 매일 갱신한다. 딜러는 투자자가 증권을 쉽게 사고 팔 수 있게 해주며, 딜러가 없다면 금융 시스템이 존재할 수 없을 것이다.

딜러는 금융상품을 거래하는 시장을 만드는 것 외에도 한 고객으로부터 빌려 다른 고객에게 빌려주는 금융 중개자 역할도 한다. 예를 들어 헤지펀드는 보유 증권 중 일부를 담보로 딜러로부터 1개월 만기 대출을 받을 수 있다. 딜러는 1개월 레포 대출을 헤지펀드에게 제공한 다음 동일한 증권을 담보로 딜러의 투자자 고객 중 한 명으로부터 대출을 받아 자금을 조달한다. 하지만 딜러는 두 대출의 만기를 일치시키지 않고 오버나이트 대출의 금리로 돈을 빌릴 가능성이 높다. 오버나이트 대출 금리는 1개월 대출 금리보다 낮기 때문에 딜러는 헤지펀드에 1개월 대출로 받은 이자와 오버나이트 대출로 투자자 고객에게 지급하는 이자의 차액을 벌 수 있다. 두 레포 거래가 서로 상쇄되기 때문에 이러한 유형의 거래를 '매치드-북 레포 거래(matched-book repo trade)'라고 한다.

딜러는 금융 중개업에 종사하기 때문에 그림자 은행으로 간주된다. 이들이 빌리는 오버나이트 레포 대출은 상업은행의 은행예금과 같다. 딜러는 오버나이트 대출을 통해 얻은 수익으로 고객에게 돈을 빌려주거나 증권을 매입하는 데 사용한다. 이는 딜러의 투자자 고객들이 오버나이트 대출 갱신을 거부할 수 있는 뱅크런과 유사한 위험에 노출된다. 이 경우 딜러는 오버나이트 대출을 상환하기 위해 보유 증권을 매각해야 한다. 딜러가 증권을 시장에 매도하면 매도 물량이 증권 가격에 하방 압력을 가할 것이다. 이런 일이 대규모로 발생하면 증권 가격이 크게 하락하여 투자자를 불안하게 할 수 있다. 더 많은 투자자들이 대출 갱신을 거부할 수 있으며, 이는 결국 더 많은 강제 매도로 이어지고, 결국 금융위기가 발생할 수 있는 것이다.

이것이 바로 2008년에 일어난 일이다. 2008년 3월, 주요 투자은행이자 프라이머리딜러였던 베어스턴스는 서브프라임 모기지 시장 투자가 악화되면서 파산했다. 투자자들은 베어스턴스의 문제 소식을 듣고 두려움에 떨며 베어스턴스에 대한 레포 대출의 갱신을 거부했다. 따라서 베어스턴스는 대출금을 상환하기 위해 자산을 헐값에 매각할 수밖에 없었다. 이로 인해 자산 가격이 하락하고 투자자들은 모든 딜러에게 대출을 제공할 때 신중을 기하게 되었다. 최후의 수단으로 연준이 대출 제공에 나섰을 때 비로소 신뢰가 회복되고 시장 상황이 정상화되었다. 연준은 일반적으로 프라이머리딜러에게 대출을 제공할 수 없지만, 이 경우에는 연방준비법(Federal Reserve Act)에서 이를 승인하는 조항이자, 13(c)로 알려진 긴급 대출 권한을 행사하였고, '프라이머리딜러 신용창구(The Primary Dealer Credit Facility, 줄여서 PDCF)'를 설립했다.[22] PDCF는 기본적으로 프라이머리딜러에게만 제공되는 할인 창구 프로그램이었다.

22 "Federal Reserve Announces Two Initiatives Designed to Bolster Market Liquidity and Promote Orderly Market Functioning." Press Release. Board of Governors of the Federal Reserve System, March 16, 2008. https://www.federalreserve.gov/newsevents/pressre-leases/monetary20080316a.htm

연준이 그림자 은행을 구제하는 방법
How the Fed Bails Out the Shadow Banks

연준은 오직 프라이머리딜러와 거래하지만, 프라이머리딜러 시스템을 통해 간접적으로 금융 시스템의 어두운 구석까지 깊숙이 접근할 수 있다. 이는 프라이머리딜러가 전 세계 거의 모든 주요 금융기관과 관계를 맺고 있기 때문이다. 연준의 정책은 이러한 관계를 통해 전달된다.

프라이머리딜러는 금융기관들에 유동성을 공급하고 유동성의 가격을 결정한다. 그림자 은행은 자금이 필요할 때 프라이머리딜러에게 전화를 걸어 보유한 금융자산을 현금으로 모두 매각하거나 담보로 돈을 빌린다. 프라이머리딜러는 그림자 은행이 금융자산을 매각할 경우, 유가증권의 가격을 제시하고, 돈을 빌릴 경우 금리를 제시한다.

개인투자자는 트레이딩 계좌에 로그인하여 주식을 팔고 현금을 받을 수 있지만 그림자 은행은 거래소에서 거래되지 않는 자산을 많이 보유하고 있다. 예를 들어 회사채와 국채는 거래소에서 거래되지 않는다. 거래소에서 거래되지 않는 증권의 가격은 딜러 커뮤니티에서 결정하며, 딜러 커뮤니티는 컴퓨터 모델과 시장 상황을 이용해 가격을 책정한다.

프라이머리딜러는 다른 고객(보통 머니마켓펀드)으로부터 빌린 자금을 사용해 증권을 매수하거나 대출을 제공한다. 하지만 연준으로부터 돈을 빌릴 수도 있다. 연준이 제공하는 자금 조달 조건은 프라이머리딜러가 그림자 은행 고객에게 제공하는 조건에 영향을 미친다. 예를 들어, 프라이머리딜러가 연준으로부터 1%의 금리로 돈을 빌릴 수 있다면 일반 시장의 대출 금리는 그다지 높지 않을 것이다.

2019년 9월, 오버나이트 레포금리는 이틀 만에 2% 내외에서 5% 이상으로 급등했다. 다시 한번 말하지만 딜러는 보유한 자산이 만기가 긴 증권이나 대출인 경우가 많기 때문에 오버나이트 대출에 대한 의존도가 높다. 딜러 커뮤니티는 하룻밤 사이에 빌릴 자금을 찾는 데 큰 어려움을 겪고 있었고, 투자자들로부터 자금을 조달하기 위해 매우 높은 이자를 지불했다. 이는 시장을 패닉 상태로 몰아넣었고 이에 따라 연준은 프라이머리딜러들과 함께 정기적인 레포 운용을 시작하게 되었다. 사실상 연준은 시장금리보다 낮은 금리로 프라이머리딜러들에게 무제한으로 대출을 제공한 셈이다. 프라이머리딜러들은 연준으로부터 이 (이자가) 저렴한 자금을 받아 시장에 더 많은 대출을 제공했다.

코로나19 패닉 기간 동안 프라이머리딜러들은 그림자 은행 고객들이 필사적으로 매각하려는 자산을 매입하기 위해 연준으로부터 약 4,000억 달러를 빌렸다. 헤지펀드, 모기지리츠, ETF가 모두 현금을 확보하기 위해 사투를 벌였다는 점을 기억하자. 사실상 연준은 프라이머리딜러 시스템을 통해 이들을 간접적으로 구제해준 셈이다.

프라이머리딜러가 연준으로부터 빌린 레포 대출 금액 수준은 2020년 하반기에 점차 감소하여 0으로 떨어졌다. 대규모 양적완화로 금융 시스템에서 국채와 기관 MBS의 양이 크게 줄었고, 이에 따라 프라이머리딜러의 현금 수요도 감소했다.

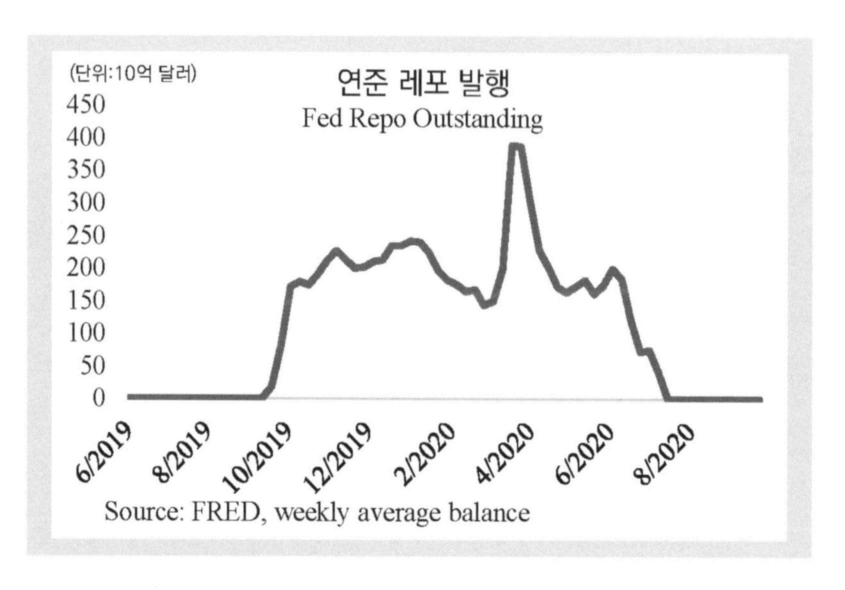

머니마켓 뮤추얼 펀드
Money Market Mutual Funds

머니마켓펀드(MMF)는 단기 유가증권에만 투자하는 특수한 유형의 투자 펀드로, 투자자는 출금이 가능한 다음 영업일에 언제든지 자금을 인출할 수 있다. 머니마켓펀드는 신용 퀄리티와 투자 기간을 엄격하게 통제하는 규제의 영향을 받는다. 따라서 머니마켓펀드는 비교적 안전한 투자처로 여겨진다. 실제로 투자자들은 머니마켓펀드 투자가 사실상 위험이 없다고 생각하는 경향이 있다. 머니마켓펀드에 투자한 1달러는 거의 대부분 손실 없이 영업일 중 언제든 인출할 수 있다. 머니마켓펀드 주식은 은행예금과 매우 유사하다.

머니마켓펀드는 크게 정부 머니마켓펀드(Government MMF)와 프라임 머니마켓펀드(prime MMF), 두 가지 유형으로 나뉜다. 정부 머니마켓펀드는 정부 발행 증권에만 투자할 수 있지만, 프라임 머니마켓펀드는 비정부 발행 증권에도 투자할 수 있다. 실제로 프라임 머니마켓펀드는 주로 정부 발행 증권과 외국 상업은행이 발행한 증권에 투자한다. 외국계 상업은행은 기업금융에 적극적이지만 일반적으로 소매금융업을 하지 않는다. 즉, 안정적인 소매예금 기반이 없기 때문에 자금 유출을 관리하기 위해 프라임 머니마켓펀드와 같은 기관투자자로부터 적극적으로 돈을 빌려야 한다.

머니마켓펀드의 투자는 매우 단기적으로 이루어지는 경향이 있으며 대부분 하룻밤 사이에 이루어지지만 최대 397일까지의 만기를 허용한다. 이는 부분적으로는 머니마켓펀드 포트폴리오의 만기 프로필을 제한하는 여러 규칙이 포함된 SEC 규정 때문이다. 이 규정은 '뱅크런'의 위험을 줄이기 위한 것이다. 머니마켓펀드의 자산은 만기가 짧기 때문에 만기가 임박한 투자로부터 나오는 현금은 항상 투자자의 인출을 충당할 수 있을 만큼 충분하다. 또한 머니마켓펀드는 자금 유출을 충당하기 위해 쉽게 매각할 수 있는 단기국채를 상당량 보유하는 경향이 있다.

많은 투자자들이 머니마켓펀드를 은행예금 대체 수단으로 사용한다. 투자자들은 머니마켓펀드에 1달러를 투자하여 시장금리를 얻고 필요할 때 1달러를 인출할 수 있기를 기대한다. 그러나 머니마켓펀드는 상업은행이 아니기 때문에 연준의 할인 창구를 이용할 수 없으며 투자자는 예금보험의 보호를 받지 못한다. 정부의 보호 장치가 없기 때문에 프라임 머니마켓펀드의 경우, 위기 상황에서 투자자들을 취약하게 만들 수 있다. 실제로 기관투자자들은 상업은행보다 프라임 머니마켓펀드에 거액을 맡기는 것을 더 편하게 생각한다. 프라임 머니마켓펀드는 여러 은행에 투자하여 비중을 분산하는데, 그 이유는 상업은행 한 곳에 많은 자금을 맡기면 리스크가 집중되기 때문이다.

머니마켓펀드는 그림자 금융 세계의 주요 현금 공급원이다. 머니마켓펀드에 투자된 자금은 긴 중개 사슬을 통해 금융 시스템 곳곳으로 이동하기 때문이다. 예를 들어, 투자자가 머니마켓펀드에 투자하면 머니마켓펀드는 레포 대출을 통해 딜러에게 돈을 빌려주고, 딜러는 다시 매치드-북-레포 거래를 통해 헤지펀드에 돈을 빌려줄 수 있다.

머니마켓펀드가 폭락했을 때
When the Money Market Funds Crashed

투자자들은 머니마켓펀드에 투자한 1달러는 상업은행의 당좌예금처럼 손실 없이 인출할 수 있다고 생각한다. 하지만 2008년 9월, 가장 큰 머니마켓펀드 중 하나인 리저브 프라이머리 펀드가 파산한 투자은행 리먼 브라더스에 제공한 대출에서 손실이 발생하면서 이러한 가정[23]은 실패로 돌아갔다. 이러한 손실은 리저브 프라이머리 펀드에 투자한 1달러의 가치가 1달러도 안 된다는 것을 의미했다.

---

23 Baba, Naohiko, Robert McCauley, and Srichander Ramaswamy. “US Dollar Money Market Funds and NonUS Banks.” *BIS Quarterly Review*, March 2009, 65–81. https://www.bis.org/publ/qtrpdf/r_qt0903g.pdf

투자자들은 머니마켓 투자에서 손실을 본 것을 알기 시작하자 당황하여 돈을 한꺼번에 인출했다. 투자자들은 이달 초 650억 달러를 보유하고 있던 펀드에서 며칠 만에 420억 달러를 인출했다.[24] 이로 인해 리저브 프라이머리 펀드는 투자자 인출을 충당하기 위해 파이어 세일(fire-sale)[25] 조건으로 자산을 매각해야 했고, 이는 더 많은 투자자 손실로 이어졌다. 투자자들은 다른 프라임 머니마켓펀드들을 둘러보았고 다른 펀드들도 '파산'할 수 있다는 두려움을 갖기 시작했다.

이로 인해 상업은행의 주요 대출 기관이었던 모든 프라임 머니마켓펀드에 대한 뱅크런이 발생했다. 상업은행들은 프라임 머니마켓펀드 자금을 잃게 되자 새로운 투자자를 유치하기 위해 어쩔 수 없이 금리를 인상해야 했다. 시장은 이러한 상업은행들이 제공하는 단기금리를 보고 일부 은행들이 파산할 수 있다는 의심을 하기 시작했다. 이로 인해 금융시스템 전체에 더 큰 공황이 발생했다.

이 비상 사태 동안 연준과 미국 재무부는 시장을 진정시키기 위해 개입했다. 재무부는 머니마켓펀드에 대한 임시 보증 프로그램(Temporary Guarantee Program)을 발표했는데, 이는 기본적으로 FDIC 은행예금보험과 유사하게 머니마켓펀드 투자자를 손실로부터 보호하는 것이었다. 연준은 투자자의 인출을 충당하기 위해 자산을 매각해야 하는 경우에

---

24 "Reserve Primary Fund Drops below $1 a Share amid Lehman Fall." Reuters, September 16, 2008. https://www.reuters.com/article/us-reservefund-buck-idUSN1669401520080916

25 화재로 타다 남은 물건을 헐값에 처분 또는 급매하는 것을 파이어 세일이라고 한다. 금융에서 파이어 세일은 자산이 시장가치에 훨씬 못 미치는 가격으로 매각되는 것을 말한다.

대비하여 머니마켓펀드의 자산을 매입할 준비가 되어 있는 머니마켓 투자자 자금 지원 창구(Money Market Investor Funding Facility)를 발표했다. 이러한 정부 지원 발표 이후 머니마켓펀드 시장은 안정세를 보였다.

상장지수펀드
Exchange Traded Funds

ETF는 주식처럼 거래소에서 주식이 거래되는 투자 펀드이다. ETF는 투자자의 자금을 받아 주식, 채권 또는 원자재 선물과 같은 자산을 구매하는 데 사용한다. 예를 들어, 국채 ETF는 주식을 발행하고 그 수익금으로 국채를 매입하는 데 사용한다. S&P 500 지수 ETF는 주식을 발행하고 그 수익금으로 S&P 500 지수의 기초가 되는 주식을 매입한다. ETF의 주요 장점은 유동성이다. ETF 주식은 거래소에서 거래되기 때문에 투자자는 시장이 열리면 언제든지 주식을 매도할 수 있다.

이론적으로 ETF의 주식 가격은 ETF 자산 가치를 반영해야 한다. 발행 주식이 100주이고 1,000달러 상당의 주식 바스켓을 보유한 ETF의 주가는 10달러여야 한다. ETF 주식 가격과 기초 자산 가치 사이의 관계는 ETF의 주가와 기초 펀드 자산 가치 사이의 차익 거래를 통해 수익을 창출하는 기관투자자가 관리한다. 예를 들어 ETF의 주가가 9달러인 경우 기관투자자는 주식 1주를 매수한 다음, 매수한 ETF 주식을 ETF 자산의 1%인 10달러 상당의 주식으로 교환하도록 ETF 펀드에 요청할 수 있다. 그런 다음 기관투자자는 10달러 상당의 주식을 시장에서 매도하여 1달러의 수익을 실현할 수 있다. 반면 ETF의 주가가 11달러라면 투자자는 ETF의 자산 구성을 모방한 주식 바스켓을 구매한 다음 매수한 주식들을 ETF 주식 1주와 교환하도록 ETF 펀드에 요청한다. 그런 다음 투자자는 교환한 ETF 주식 1주를 시장에 매도하여 1달러의 수익을 얻는 것이다.

ETF는 시장이 개장하면 언제든지 주식을 매도할 수 있지만 ETF가 보유한 자산은 유동성이 떨어질 수 있으므로 그림자 은행이라고 할 수 있다. 이는 회사채 또는 소형주를 보유한 ETF의 경우 특히 그렇다. 회사채와 소형주는 거래 빈도가 높지 않기 때문에 갑자기 매도 물량이 쏟아지면 가격 변동폭이 매우 커질 수 있다. 원칙적으로 ETF의 상환 구조는 ETF 주식을 상환하면 증권 바스켓이 생성되므로 ETF 자체는 기초 자산의 강제 매도 대상이 아니기 때문에 폭락에 덜 취약하다. 그러나 기관투자자가 ETF 주식을 증권으로 상환한 다음 기초 증권을 매도하여 차익거래를 시도하면 가격이 더 큰 폭으로 하락하여 더 많은 상환이 발생하는 사이클이 일어날 수 있다.

2020년 코로나19 패닉 당시 투자자들은 ETF 주식을 공격적으로 매도하여 많은 ETF가 펀드 자산 가치보다 현저히 낮은 가격에 거래되었다. 기관투자자들은 시장 상황이 너무 좋지 않아 ETF 주식을 기초 자산으로 상환할 수 있어도 이를 시장에 매도할 수 없어 차액을 조정하는 데 어려움을 겪었다. 그 이유는 매수자가 없었기 때문이다.

모기지리츠

Mortgage REITs

모기지리츠(mREIT)는 주택저당증권(mortgage-backed securities, 줄여서 MBS)에 투자하는 투자 펀드로, 일반적으로 패니 메이 또는 프레디 맥이 보증하는 기관 MBS에 투자한다. 모기지리츠는 장기적인 자산에 투자하기 위해 단기적인 대출을 받는 전형적인 그림자 은행이다. 일반적인 모기지리츠는 지속적으로 갱신되는 1개월 레포 대출을 이용해 15~30년 만기 모기지 증권(주택저당증권)을 매입한다.

장기국채 수익률이 사상 최저치를 기록하는 상황에서도 모기지리츠는 연간 10%가 넘는 이자를 제공할 수 있었다. 특히 이자 수익을 원하는 개인투자자에게 인기가 높다. 모기지리츠는 자본의 8배에 달하는 레버리지를 통해 이러한 수익률을 제공할 수 있다. 예를 들어, 모기지리츠는 1개월 만기 0.3%의 금리로 레포 시장에서 돈을 빌린 후 2.5% 수익률의 30년 만기 모기지 증권에 투자하여 2.2%의 순이자 마진을 얻을 수 있으며, 5배 레버리지로 연간 10% 이상의 이자 수익을 얻을 수 있다. 모기지 증권이 보증되는 범위 내에서 모기지리츠는 신용 위험을 감수하지 않는다. 그러나 모기지리츠가 레포 대출을 갱신할 수 없는 뱅크런 같은 충격에는 매우 취약하다. 이러한 충격은 2020년 코로나19 패닉 중에 발생했다.

2020년 코로나19 패닉 기간 동안 일반적으로 유동성이 매우 높은 기관 MBS 시장을 포함하여 시장 전반에 걸쳐 상당한 변동이 있었다. 기관 MBS를 담보로 모기지리츠에 레포 대출을 제공했던 딜러들은 담보물의 가치에 대해 확신을 갖지 못했고, 모기지리츠에 더 많은 현금을 담보로 내놓으라고 요구하기 시작했다. 동시에 많은 모기지리츠가 이자율 헤지로 인한 손실을 경험했고 현금이 부족했다. 이러한 현금 수요를 충족하기 위해 모기지리츠는 시장에 유동성이 거의 없던 시기에 기관 RMBS 증권을 매각해야 했다. 급매로 인해 가격이 하락했고, 이는 다시 더 많은 급매로 이어져 많은 모기지리츠들이 막대한 손실을 실현해야 했다. 불과 몇 주 동안 모기지리츠 투자자들은 투자금의 절반 이상을 잃었고, 경우에 따라서는 그 이상을 잃기도 했다.

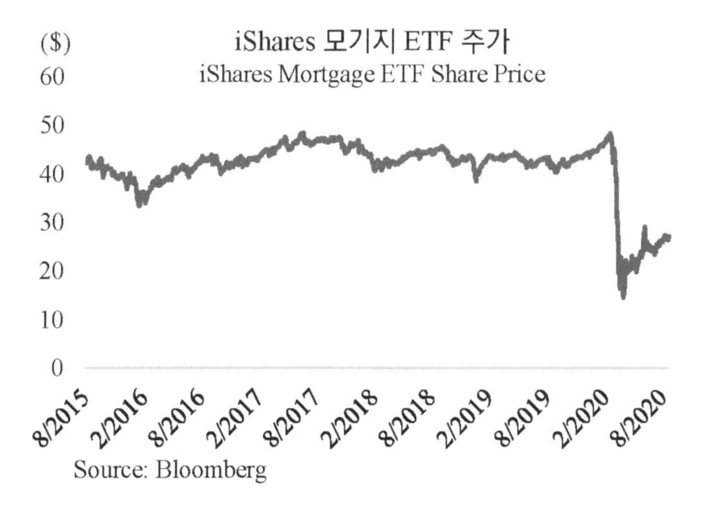

Source: Bloomberg

사모투자펀드
Private Investment Funds

헤지펀드나 사모펀드와 같은 사모투자펀드는 투자자의 돈을 받아 다양한 금융자산에 투자한다. 이러한 펀드는 매우 다양한 전략을 사용하므로 일반화하기 어렵다. 일부는 비상장 기업의 주식, 미국 달러 표시 외채(U.S. dollar-denominated foreign debt), 전 세계 농지 등 비유동성 자산에 투자하기도 한다. 다른 펀드는 상장 주식과 같은 유동성 증권에 투자한다. 사모펀드의 투자자는 일반적으로 필요할 때 돈을 인출할 수 없지만, 일정 기간 동안 펀드에 계속 투자하는 데 동의한다. 이는 사모투자펀드가 만기가 중기인 대출을 받고 빌린 돈으로 장기 투자하는 전략을 의미한다. 이러한 전략은 펀드가 투자자의 인출을 충족하기 위해 자산을 헐값에 매각하는 것을 피할 수 있게 해 준다. 그러나 일부 사모투자펀드는 단기 차입에 의존하기보다 공격적인 전략을 사용하기도 한다. 이러한 행동은 대출 기관이 대출을 갱신하지 않기로 결정할 경우 뱅크런과 같은 위험에 취약하게 만들 수 있다.

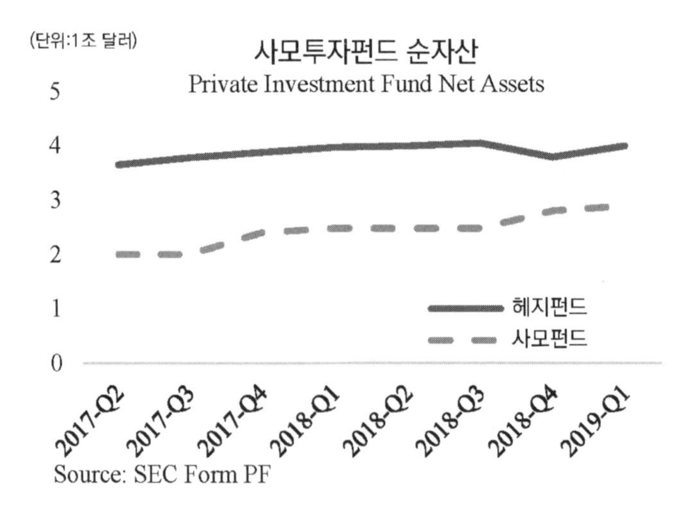

현물-선물 베이시스 폭등
Cash-Futures Basis Blow-up

미국 국채 시장의 현물-선물 베이시스 거래는 투자자가 국채선물 계약 가격과 현물 시장의 국채 가격 간의 차액을 거래하여 수익을 얻는 차익 거래이다.[26] 국채선물 계약은 미래의 특정 날짜에 미리 정해진 가격으로 국채를 인도하기로 하는 계약이다. 국채선물의 가격이 국채현물의 시장 가격보다 높으면 투자자는 국채선물을 매도하고 현물 시장에서 국채를 매수한 다음, 매수한 국채현물을 인도하여 만기 시 선물 계약을 이행함으로써 잠재적인 수익을 얻을 수 있다. 투자자는 선물 가격과 현물 가격의 차액을 손에 쥐게 된다.

투자자는 보통 레포 시장에서 국채현물 포지션에 자금을 조달하여 이 거래를 시작한다. 만약 선물 가격과 현물 가격의 가격 차이(현물-선물 베이시스)가 레포 대출의 자금 조달 비용을 보상할 만큼 충분히 크다면 이 거래는 수익성이 있다. 베이시스(가격 차이)는 일반적으로 매우 좁기 때문에 투자자가 의미 있는 수익을 창출하려면 매우 높은 레버리지를 사용해야 한다. 이론적으로 거래 시작과 동시에 수익이 확정되어야 하지만, 정산 시점에 베이시스가 수렴하기 전에 더 확대될 가능성은 항상 존재한다. 만약 레포 대출이 초단기인 경우, 레포금리가 상승하면 투자자는

---

26 '베이시스(basis)'라는 용어는 국채와 같은 금융상품의 현물 가격과 선물 가격 간의 차이를 말하며, 현물-선물 베이시스는 트레이더가 시장에서 활용하고자 하는 차익거래 기회를 나타낸다.

잠재 수익이 감소되거나 없어질 위험을 부담하게 된다. 전반적으로 국채 현물-선물 베이시스 거래는 국채선물과 국채가 같은 방향으로 움직이고 유동성이 상당히 높기 때문에 투자자는 상황이 좋지 않을 경우 신속히 거래를 청산할 수 있으므로 위험이 낮은 거래로 간주된다.

코로나19 패닉 기간 동안 미국 국채 현물-선물 베이시스 거래에 큰 문제가 발생했다.[27] 위기 기간 동안 연준이 목표 금리를 제로 하한(zero lower bound)으로 낮추고 투자자들이 안전자산으로 미국 국채를 매수하면서 금리는 하락했다. 그러나 국채선물 시장은 국채현물 시장보다 훨씬 더 큰 폭으로 움직였다. 딜러가 더 이상 시장을 만들 수 없게 되자 국채현물 시장은 결국 붕괴되었다. 이로 인해 현물-선물 베이시스가 크게 확대되었고 투자자들은 선물 포지션에서 큰 손실을 입었다. 이러한 손실은 레버리지로 인해 100배에 달하기도 했다. 이 거래에 참여한 상대가치 헤지펀드(relative value hedge fund)[28]들은 시장 유동성이 거의 없는 시기에 국채를 팔아 레버리지 포지션을 청산해야 했고, 이로 인해 가격이 하락하고 손실이 더욱 커졌다. 결국 많은 헤지펀드들이 이 거래에서 막대한 손실을 입었다.[29]

---

27 Schrimpf, Andreas, Hyun Song Shin, and Vladyslav Sushko. "Leverage and Margin Spirals in Fixed Income Markets during the Covid-19 Crisis." BIS Bulletin No 2. BIS, April 2, 2020. https://www.bis.org/publ/bisbull02.htm

28 상대가치 전략을 사용하는 헤지펀드

29 Basak, Sonali, Liz McCormick, Donal Griffin, and Hema Parmar. "Before Fed Acted, Leverage Burned Hedge Funds in Treasury Market." Bloomberg, March 19, 2020. https://www.bloomberg.com/news/articles/2020-03-19/before-fed-acted-leverage-burned-hedge-funds-in-treasury-trade

자산유동화 또는 증권화

Securitization

자산유동화는 비유동성 금융자산 풀에서 투자자에게 채권을 발행하여 자금을 조달하는 금융 구조이다. 일반적으로 상업은행이 대출을 일으킨 다음 이를 자산유동화회사에 판매하면, 자산유동화회사는 채권을 발행한 수익금으로 대출을 매입한다. 자산유동화회사는 수백 또는 수천 개의 대출을 매입하고 각기 다른 위험 프로필을 가진 다양한 채권을 발행할 수 있다. 대출의 원금과 이자는 채권투자자에게 지급된다. 채권이 상환되는 우선순위에 따라 각 채권마다 다른 위험 프로필이 생성되며, '페이먼트 워터폴(Payment waterfall)'[30]에서 지급 순위가 가장 높은 채권이 가장 낮은 위험으로 간주된다. 모든 채권투자자에게 상환이 완료된 후 남은 대금은 자산유동화회사의 주주들에게 돌아간다. 자산유동화회사는 신용 위험과 유동성 위험을 감수하기 위해 투자자로부터 돈을 빌린다는 점에서 은행과 유사하다.

가장 잘 알려진 자산유동화의 유형은 모기지 대출이지만 자동차 대출, 신용카드 대출, 학자금 대출도 흔히 볼 수 있다. 패스트푸드 체인점 프랜차이즈 수수료, 휴대폰 결제, 음악 로열티 등 안정적인 현금흐름을 제공하는 거의 모든 금융자산을 유동화할 수 있다. 자산유동화는 투자자에게는 다양한 자산군에 투자할 수 있는 기회를 제공하고, 차입자에게는 더 많은 투자자를 확보할 수 있는 기회를 제공한다.

---

30 기초 자산에서 현금흐름이 발생할 때 해당 현금흐름이 어떤 순서로 지급되는지를 나타내는 개념으로, 여러 종류의 채권 또는 투자 상품에 대한 상환 우선순위를 계층적으로 나타낸다.

자산유동화의 급부상은 2008년 금융위기에서 많은 상업은행의 비즈니스 모델을 근본적으로 변화시킴으로써 중요한 역할을 했다. 전통적으로 상업은행은 발행한 대출을 장부에 기재하였기 때문에 누구에게 대출을 해줄지 신중을 기했다. 대출 자산의 5%만 상각되어도 상업은행은 쉽게 파산할 수 있었다. 그러나 자산유동화의 부상은 상업은행이 대출을 일으켜 자산유동화회사에 판매함으로써 수수료를 벌 수 있다는 것을 의미했다. 많은 상업은행이 대출 이자 수익에서 대출 개시 수수료 수익으로 비즈니스 모델을 전환하기 시작했다. 상업은행은 대출을 직접 보유하지 않았기 때문에 대출이 부실화되더라도 그다지 관심이 없었다. 이는 유동화 채권 투자자가 감수해야 하는 리스크였다.

그림자 은행이 음지에서 모습을 드러낼 때
When Shadow Banks Emerge from the Shadows

2007년 8월, 그림자 은행의 비교적 잘 알려지지 않은 부분인 자산담보부 기업어음(Asset-Backed Commercial Paper, 줄여서 ABCP) 시장에 대규모 인출 사태가 벌어졌다.[31] ABCP는 수개월 내에 만기가 도래하는 무담보 부채이며, 기업어음을 발행하여 머니마켓(단기금융시장)에서 단기로 돈을 빌린 후 그 자금을 장기 및 비유동성 금융자산에 투자하는 투자 수

31 For more on the topic, see Covitz, Daniel M., J. Nellie Liang, and Gustavo A. Suarez. "The Anatomy of a Financial Crisis: The Evolution of Panic-Driven Runs in the Asset-Backed Commercial Paper Market." *Proceedings, Federal Reserve Bank of San Francisco*, January 2009, 1–36

단이다. 이러한 자산은 ABCP에 따라 다르지만 은행 대출, 기업 매출채권 또는 유가증권이 될 수 있다. ABCP는 자산을 조달하기 위해 단기 채권을 지속적으로 발행하고 롤오버한다. 큰 틀에서 ABCP는 상업은행과 비슷하지만 단기 머니마켓 부채(short-term money market debt)로 자금을 조달한다.

그러나 ABCP 투자자들은 상업은행이 제공하는 공공 부문의 보호와 혜택을 받지 못해 민간 부문의 보호 수단을 찾았다. ABCP 투자자들은 투자를 보호하는 엄격한 은행 규제의 혜택을 받지 못했기 때문에 투자 안전성을 판단할 때 신용평가기관의 판단에 의존했다. 또한 ABCP 투자자는 FDIC 예금보험의 보증 혜택을 받을 수 없었기 때문에 ABCP 스폰서의 보증에 의존했다. 일반적으로 ABCP의 스폰서인 상업은행은 ABCP를 관리하며, ABCP의 자산이 부실화될 경우 ABCP 기업어음을 매입할 준비가 되어 있다.

2007년 7월, 서브프라임 모기지 관련 자산에 상당한 규모로 투자한 대형 헤지펀드 두 곳이 청산되었고, 8월 첫째 주에는 대형 서브프라임 대출 기관인 아메리칸 홈 모기지(American Home Mortgage)가 파산을 신청했다. 이로써 아메리칸 홈 모기지가 보증한 ABCP는 서브프라임 모기지 관련 자산의 가치에 대한 시장의 신뢰가 떨어지고 있는 시점에 보증을 상실하게 되었다. 시장 참여자들은 전체 ABCP 부문의 자산 퀄리티에 대해 우려하기 시작했고 대출 갱신을 거부하기 시작했다. 2007년 7월 ABCP의 발행 자산은 1조 1,630억 달러였지만, 한 달 뒤에는 거의 2,000억 달러가 줄어든 0.976조 달러로 감소했다.

ABCP 부문의 패닉은 상업은행 스폰서들의 보증으로 인해 상업은행 부문으로 번졌다. ABCP 투자자들이 부채의 갱신을 거부함에 따라 상업은행이 나서서 ABCP가 보유한 자산에 자금을 조달해야 했다. 이로 인해 상업은행의 유동성에 압박이 가해졌고 신용 손실의 위험에 노출되었다. 이러한 우려가 반영되어 은행 간 금리가 급등했고, 미 연준과 유럽중앙은행은 시장을 진정시키기 위해 개입해야 했다. 미국과 유럽의 상업은행들이 모두 ABCP 스폰서로 활동했기 때문에 이 문제는 국경을 넘어섰다.

중앙은행의 조치로 투자자들이 진정되면서 ABCP 시장은 안정세를 찾았지만, 투자자들은 이것이 1년 후 금융 시스템에 치명적인 영향을 미칠 사건의 첫 징후일 뿐이라는 사실을 알지 못했다. 다음 경고는 몇 달 후인 2008년 초에 베어스턴스가 붕괴되면서 나타났는데, 이에 대해서는 이전 섹션에서 설명한 바 있다.

연방주택대출은행: 정부 후원 그림자 은행

Federal Home Loan Banks: The Government-Backed Shadow Bank

정부후원기업(GSE)은 금융시장과 실물 경제에서 크고 중요하지만 종종 눈에 띄지 않는 역할을 한다. 정부후원기업은 엄밀히 따지자면 연방정부의 일부가 아니지만 연방정부가 암묵적으로 보증하는 것으로 간주되는 조직이다. 민간 기업과 달리 정부후원기업은 이윤을 추구하는 것이 아니라 주거 지원과 같은 공공 정책 목표를 추구한다. 가장 잘 알려진 정부 보증 기관은 패니 메이(Fannie Mae)와 프레디 맥(Freddie Mac)이지만, 실제로 가장 큰 기관은 연방주택대출은행(FHLB) 시스템이다.

FHLB 시스템은 1932년 상업은행에 대출을 제공하여 주택 부문을 지원하기 위해 처음 설립되었다. 현재 11개의 지역 FHLB로 구성되고, 각각의 협동조합으로 조직되어 있다. 각 FHLB는 회원 상업은행이 소유하고 있으며, 회원 은행이 되려면 FHLB의 주식을 매입해야 한다. FHLB 회원 은행은 FHLB의 손실을 분담하고 배당금 지급을 통해 이익을 얻는다. 외국 은행은 FHLB 회원 자격이 없다.

FHLB는 기관투자자로부터 돈을 빌린 후 회원 은행에 대출을 제공한다. 이들은 본질적으로 정부 후원 그림자 은행으로써 상업은행을 지원하는 것이 목표이다. 실제로 FHLB는 주로 정부 머니마켓펀드에서 단기로 돈을 빌린 후, 회원 은행에 약간 더 긴 만기의 대출을 제공한다. 정부에 의해 암묵적으로 보증되므로, FHLB는 매우 낮은 금리로 돈을 빌릴 수 있고, 이러한 낮은 금리를 회원 은행들에게 전가할 수 있다. 보통 FHLB가 제공하는 금리는 회원 상업은행이 시장에서 빌릴 수 있는 금리보다 낮으며, 특히 신용등급이 낮은 은행의 경우 더욱 그렇다.

FHLB는 적절한 담보를 제공하는 한 상업은행에 대출을 제공한다. 따라서 시장 상황이 좋지 않고 민간 부문의 자금 조달이 부족할 때 FHLB 대출은 중요한 자금 조달원이 된다. 상업은행이 어려운 상황에 처하면 할인 창구 대출에 대한 안좋은 인식 때문에 먼저 FHLB에서 대출을 받고 연준의 할인 창구를 최후의 수단으로만 이용한다. 약 1조 달러의 자산을 보유한 FHLB 시스템은 금융 시스템에서 상당한 비중을 차지한다.

과거에는 중소형 은행이 FHLB의 주요 차입자였다. 이들 은행은 도매 자금에 대한 접근성이 제한되어 있었기 때문에 FHLB 대출은 저렴한 대출을 받을 수 있는 가장 쉬운 방법이었다. 최근 몇 년 동안 FHLB의 최대 차입자는 미국 대형 은행들이었다.[32] 그 이유는 대형 은행들이 바젤 III의 엄격한 규제에 따라 안정적인 부채를 보유해야 하기 때문이다. 바젤 III에 따르면 FHLB는 정부후원기업이기 때문에 FHLB 대출은 안정적인 것으로 간주된다.

---

32 Gissler, Stefan, and Borghan Narajabad. "The Increased Role of the Federal Home Loan Bank System in Funding Markets." FEDS Notes. Board of Governors of the Federal Reserve System, October 18, 2017. https://doi.org/10.17016/2380-7172.2070

4장 유로달러 마켓

CHAPTER 4 The Eurodollar Market

유로달러(Eurodollars)는 미국 이외의 지역에서 보유하는 미국 달러를 말한다. 유로달러라 불리는 이유는 1956년 처음으로 역외 달러가 유럽에서 등장했기 때문이다.[33] 유로달러 시장은 상업은행이 규제 차익거래(regulatory arbitrage)[34]를 통해 이익을 얻을 수 있는 방법을 찾았을 뿐만 아니라, 외국인의 달러 수요 증가하면서 성장했다. 1944년 브레튼우즈 협정은 세계를 금본위제에서 미국 달러 기준으로 전환하는 새로운 통화 시스템을 만들었다. 달러의 광범위한 사용은 미국이 글로벌 패권국으로 부상함에 따라 증가했으며, 유럽 연합의 설립과 중국의 부상으로 미국의 우위가 상대적으로 감소한 후에도 지속되었다. 글로벌 달러 시스템은 연준의 영향력과 책임을 미국 국경을 훨씬 넘어 확장시키고 있다.

---

33 Murau, Steffen, Joe Rini, and Armin Haas. "The Evolution of the Offshore US-Dollar System: Past, Present and Four Possible Futures." Journal of Institutional Economics, 2020,1–17. https://doi.org/10.1017/S1744137420000168 See also He, Dong, and Robert N. McCauley. "Eurodollar Banking and Currency Internationalisation." BIS Quarterly Review, June 2012, 33–46. https://www.bis.org/publ/qtrpdf/r_qt1206f.htm

34 규제 차이 또는 허점을 이용해 재정적 이득을 취하는 행위를 말한다.

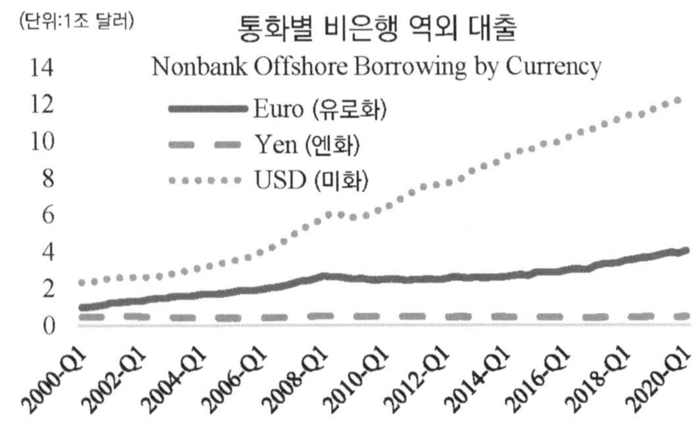

Source: BIS Global Liquidty Indicators, Author's calculations

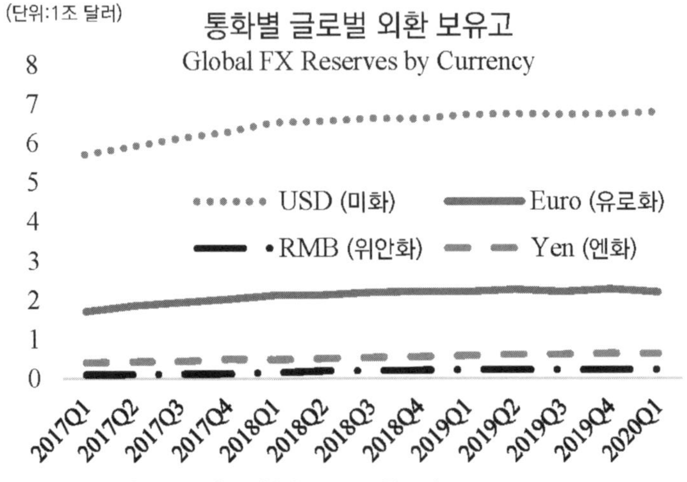

Source: International Monetary Fund

유로화, 엔화 및 기타 통화에 대한 역외 시장도 있지만 미국 달러 역외 시장 규모에 근접한 시장은 없다. 미국 외 지역에 거주하는 비은행 기관들의 달러 차입 규모는 약 13조 달러로, 유로화나 엔화와 같은 다른 주요 통화에 대한 역외 수요를 훨씬 초과한다. 외국 중앙은행 및 국제통화기구의 외환 보유액을 살펴보면, 미국 달러는 전체 외환 보유액의 약 60%를 차지하며 가장 선호도가 높은 통화이다. 달러는 다른 통화에는 존재하지 않는 전 세계적인 수요가 분명히 존재한다. 이러한 수요는 몇 가지 요인에 기인한다.

안전성

미국 달러는 글로벌 안전자산으로 널리 알려져 있다. 전 세계에 어려움이 있을 때마다 투자자들은 미국 달러로 몰려든다. 미국 달러는 세계 최강의 군사력, 최대 경제 규모, 비교적 공정한 법률 시스템, 수십 년 동안 인플레이션을 안정적으로 유지해 온 중앙은행의 지원을 받고 있다. 미국에 기반을 둔 투자자들은 이 모든 것을 당연하게 여길 수 있지만, 이러한 혜택은 세계 다른 곳에서는 널리 볼 수 없다. 많은 국가들이 정부의 부실한 관리로 인해 높은 인플레이션으로 어려움을 겪거나 실존 위기에 시달리고 있다. 예를 들어 아르헨티나는 지난 몇 년간 10~50%에 이르는 연간 인플레이션율을 견뎌냈다. 따라서 많은 아르헨티나 사람들이 저축을 달러로 보유하는 것을 선호한다. 2011년에는 유럽연합이 해체될 수 있다는 우려가 제기되면서 유로화가 달러화에 비해 크게 절하되었다. 영국이 유럽연합을 탈퇴하고 일부 유럽연합 국가에서 반 유럽연합 정당이 인기를 얻으면서 유럽연합의 미래에 대한 우려가 밀물과 썰물처럼 반복되고 있다.

무역

전 세계 무역은 기본적으로 달러 기준으로 운영되며, 전 세계 무역의 약 50%가 달러로 송장을 발행하고 해외 결제의 약 40%가 달러로 이루어진다.[35] 거래 당사자가 미국인이 아닌 경우에도 달러는 무역에서 사용된다. 예를 들어 일본이 사우디아라비아에서 석유를 수입할 때 대금을 달러로 지불한다. 한국의 전자제품 제조업체가 태국의 협력업체로부터 부품을 구매할 때 대금은 달러로 지불될 가능성이 높다. 미국 달러는 마스터카드나 비자로 결제할 때와 마찬가지로 매우 강력한 '네트워크 효과'가 있다. 모두가 달러를 사용하므로 모두가 달러를 보유하게 된다.

달러는 국제적으로 통용될 뿐만 아니라, 전 세계의 많은 지역에서 달러를 보유하기 때문에 환율 리스크가 제한적이다. 이는 세계 경제의 대부분이 달러와 밀접하게 연동되는 통화를 사용하며 달러 보유가 현지 통화 보유를 대체할 수 있기 때문이다. 이러한 관점에서 볼 때 달러는 본질적으로 전 세계 GDP의 50% 이상을 차지하는 '통화 블록(currency bloc)'을 형성한다.[36] 이 통화 블록에는 명시적으로 달러에 통화를 고정하는 사우디아라비아 같은 국가와 한 때 달러에 통화를 고정했던 중국과 멕시코 같은 대형 국가들도 포함된다.

---

35 BIS Working Group. "US Dollar Funding: An International Perspective." CGFS Papers No. 65. BIS Committee on the Global Financial System, June 2020. https://www.bis.org/publ/cgfs65.htm

36 McCauley, Robert N., and Hiro Ito. "A Key Currency View of Global Imbalances." BIS Working Papers No. 762. BIS, December 2018. https://www.bis.org/publ/work762.htm

비용 절감

외국인들은 달러 대출이나 채권의 이자율이 자국 통화보다 낮을 때 달러 대출을 선호하기도 한다. 연준이 미국의 단기금리를 다른 국가에 비해 낮은 수준으로 설정하면 달러 은행 대출의 이자율도 상대적으로 낮아져 외국인 차입자에게 매력적으로 다가온다. 특히 중국이나 브라질과 같은 이머징 마켓(신흥 시장)에서는 현지 통화 은행 대출 금리가 달러 대출보다 몇 퍼센트 더 높을 수 있다. 비슷한 방식으로 연준이 양적완화를 실시하여 미국 국채금리를 낮추면 국채금리를 기준으로 가격이 책정되는 민간 부문 달러 채권의 차입 금리도 하락한다. 해외 차입자는 달러로 돈을 빌릴 때 지불하는 이자율이 자국 통화로 돈을 빌릴 때보다 낮다는 것을 알게 되어 달러로 돈을 빌리기로 결정할 수 있다.

유동성

미국 달러 자본시장은 세계에서 가장 크고 유동성이 풍부하다. 많은 해외 국가에는 미국 달러 자본시장만큼 고도로 발달한 자본시장이 없기 때문에 대신 달러로 돈을 빌리는 방법을 선택한다. 예를 들어, 호주 은행은 호주 달러 자산에 투자하고 싶어도 미국 달러로 돈을 빌리는 것이 더 쉽다. 미국 달러 자본시장의 규모 덕분에 호주 은행은 다양한 투자자에게 접근할 수 있고 호주 시장보다 더 쉽게 거액의 돈을 빌릴 수 있다. 그런 다음 호주 은행은 스왑 거래를 통해 미국 달러를 호주 달러로 교환한다. 또한 달러 부채 발행의 용이성은 글로벌 무역에서 미국 달러의 주요 역할을 보완한다. 외국 기업이 미국 달러를 보유하는 이유는 돈을 지급할 때 달러가 필요할 뿐만 아니라 미국 달러로 표시된 부채를 발행하는 것이 가장 쉽기 때문이다.

마찬가지로 달러를 보유하는 이유는 보관이 쉽기 때문이다. 유동성이 풍부하고 규모가 상당한 미국 국채 시장은 투자자가 위험 부담 없이 대량의 달러도 쉽게 보관할 수 있음을 뜻한다. 국채는 이자를 지급하는 화폐일 뿐이라는 점을 기억하자. 유동성은 많은 돈을 보유한 기관이나 고액자산가에게 실제로 중요한 고려사항이다. 중국이 미국에 그다지 우호적이지 않음에도 불구하고 수조 달러의 미국 국채를 보유하는 가장 큰 이유는 다른 대안이 없기 때문이며, 그 많은 돈을 보유할 수 있을 만큼 충분한 규모의 시장이 없기 때문이다.

위의 논의는 외국인이 달러를 보유하는 이유를 이야기하지만, 해외에 달러를 보유하는 이유는 설명하지 않는다. 외국인이 해외에 달러를 보유하는 데에는 몇 가지 이유가 있다.[37] 미국인이 미국에 달러를 보유하려는 자연스러운 편향이 있는 것처럼 외국인도 자국에서 달러를 보유하려는 자연스러운 편향이 있다. 이는 외국인이 자국 은행에 더 익숙하거나, 현지에서 달러를 보유하는 것이 더 편리하거나, 미국 정부를 불신하기 때문일 수 있다. 예를 들어 소련은 런던에 달러를 예치했다. 해외에 달러를 보유하는 것은 투자자가 통화 위험을 국가 위험으로부터 분리할 수 있는

37 He, Dong, and Robert N. McCauley. "Offshore Markets for the Domestic Currency: Monetary and Financial Stability Issues." BIS Working Papers No. 320. BIS, September 2010. https://www.bis.org/publ/work320.htm

방법이다. 마지막으로 역외 은행은 과거부터 지금까지 미국 내 은행보다 높은 예금 금리를 제공했다.

역외 달러 시장은 역외 달러 뱅킹과 역외 달러 자본시장으로 구성된다. 비은행 차입자에게 제공되는 대출만 고려해도 두 시장 모두 각각 약 6조 5,000억 달러로 상당한 규모이다. 역외 달러 시장 대출의 대부분은 미국 내 자금 출처가 아니라 다른 해외 자금 출처에서 나온다. 미국 내 은행은 역외 비은행 차입자에게 약 1조 6,000억 달러의 은행 신용을 제공하는 비교적 소규모 대출 기관이다. 미국 재무부의 데이터에 따르면 미국 기반 투자 펀드가 역외 차입자가 발행한 2조 6,000억 달러의 채권을 보유하고 있는 것으로 추정되지만, 여기에는 은행 차입자가 발행한 증권도 포함되어 있다.

은행과 투자자가 역외 차입자에게 기꺼이 대출을 제공하는 이유는 포트폴리오를 다양화할 수 있고 더 높은 수익을 올릴 수 있는 기회를 제공하기 때문이다. 역외 차입자는 일반적으로 달러 공급원이 더 제한되어 있기 때문에 미국에 거주하는 차입자보다 더 높은 이자율을 지불할 의향이 있다. 또한 많은 역외 차입자들이 높은 금리를 감당할 수 있는 높은 경제성장률을 가진 이머징 마켓에 위치해 있다. 또한 은행과 투자자는 해외 투자를 통해 여러 국가에 걸쳐 포트폴리오를 다각화하여 정치적 위험을 줄일 수 있다.

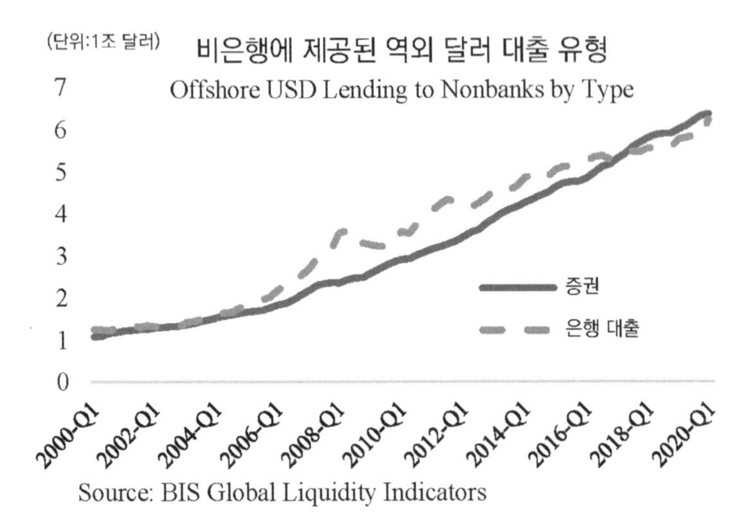

역외 달러 뱅킹

Offshore Dollar Banking

역외 달러 뱅킹 시스템은 주로 규제 차익거래로 인해 존재하는 부문과 외국인의 달러 뱅킹 수요를 중심으로 하는 부문으로 나눌 수 있다. 2018년 기준 역외 달러 뱅킹 시스템의 전체 규모는 약 10조 달러로,[38] 글로벌 달러 뱅킹 시스템 규모의 약 3분의 1을 차지한다.[39] 은행이 국채나 기타

---

38 Aldasoro, Iñaki, and Torsten Ehlers. "The Geography of Dollar Funding of Non-US Banks." BIS Quarterly Review, December 2018, 15–26. https://www.bis.org/publ/qtrpdf/r_qt1812b.htm

39 연준의 H8과 신용조합에 대한 NCUA의 분기별 보고서에 따르면, 미국 내 예금 수취 기관의 부채는 약 20조 달러이며, BIS 데이터에 의하면 미국 외 지역에 있는 외국계 은행의 달러 부채는 약 10조 달러이다. FDIC 보고서에 따르면 미국 내 은행들의 해외 지점에 예치된 예금은 1조 4,000억 달러에 달하지만, 이 중 달러로 표시된 예금이 얼마나 되는지는 명확하지 않다.

채무 증권과 같은 대출 이외의 달러 자산도 보유하기 때문에 위에서 설명한 해외 달러 은행 대출 6조 5,000억 달러보다 더 큰 규모라는 점에 유의하자.

역외 달러 뱅킹 시스템의 규제 차익 거래 부문은 지난 수십 년 동안 밀물과 썰물을 반복했다. 첫 번째 단계에서 미국 은행들은 은행 활동을 케이맨 제도나 런던과 같은 역외 은행 센터로 이전함으로써 미국 내 은행 규제를 피할 수 있다는 사실을 발견했다. 역외 달러 예금은 1950년대 런던에서 처음 발생했지만 1970년대에 크게 증가했다. 당시 미국 은행은 규제 Q(Regulation Q)와 규제 D(Regulation D)에 묶여 있었다. 규제 Q에 따르면 미국 은행이 국내 예금에 대해 지급할 수 있는 이자 수준에 상한선이 정해져 있었고, 규제 D는 미국 은행으로 하여금 예금 부채에 대해 일정 금액의 중앙은행 준비금을 보유하게 했다. 그러나 미국 이외의 지역에서 예치된 예금은 이러한 규정의 적용을 받지 않았다. 따라서 미국 은행들은 지급준비율(reserve ratio)[40]에 대한 걱정 없이 해외에서 높은 금리를 제공하여 투자자를 유치하고 대출 규모를 확대하여 사업을 성장시킬 수 있는 인센티브가 있었다. 실제로 은행들은 미국 내 고객이 해외 지점에 예금을 맡기면 해당 지점이 그 돈을 다시 본국으로 송금하는 방식을 사용했다. 이러한 은행 거래는 엄밀히 따지자면 역외 거래 또는 국가간 거래지만, 기능적으로는 순전히 미국 은행 시스템 내에서 수행된 것이다. 이러한 흐름은 규제 변경으로 역외 은행의 규제 이점이 사라진 후

40 중앙은행이 정하는 지급준비율은 고객의 대량 인출에 대비하여 상업은행이 현금으로 보유해야 하는 예금의 비율을 말한다.

에도 계속되었다. 그러나 금융위기 이후 미국 은행들은 리스크 관리에 더욱 신경을 쓰면서 역외 은행을 크게 축소했다.

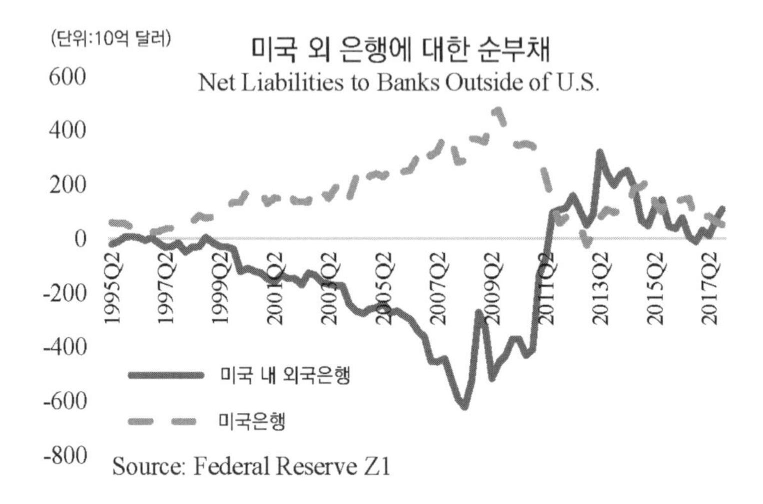

규제 주도 역외 금융(regulatory-driven offshore banking)의 두 번째 물결은 금융위기가 발생하기 전 몇 년 동안 유럽 은행에서 시작되었다. 당시 유럽 은행은 미국 은행보다 위험이 수반된 거래를 훨씬 더 큰 규모로 수행할 수 있는 관대한 규제 기준을 적용 받았다.[41] 유럽 은행은 미국 모기지 관련 자산에 투자하는 데 큰 관심을 보였고, 주로 미국의 머니마켓펀드에서 자금을 조달하여 대규모 (매수) 포지션을 취했다. 예를 들어, 유럽 은행의 미국 지점은 미국 머니마켓펀드에서 돈을 빌려 유럽 본사로 송금하면, 유럽 본사는 빌린 돈을 다시 미국 모기지 자산에 투자했다. 본질적으로 유럽 은행은 미국 내 투자자로부터 돈을 빌린 후, 그 돈을 다시

---

41 He, Dong, and Robert N. McCauley. "Eurodollar Banking and Currency Internationalisation." BIS Quart Review, June 2012, 33–46. https://www.bis.org/publ/qtrpdf/r_qt1206f.htm

미국으로 보내 미국 자산에 투자하는 방식이었다. 하지만 금융위기 이후 유럽 은행들이 투자에서 상당한 손실을 입으면서 이러한 자금흐름은 대부분 끊어졌다.

규제 주도 역외 금융 시스템의 흐름은 규모가 컸지만 기본적으로 미국의 은행 자금흐름을 다른 방식으로 중개하는 것이었다. 미국 거주 예금자의 자금은 궁극적으로 미국 기반 자산에 자금을 조달하는 데 사용되었다. 하지만 금융위기 이후 유럽과 미국 은행이 사업 규모를 축소하면서 이러한 자금흐름은 크게 감소했다. 최근 몇 년 동안 역외 달러 뱅킹 자금흐름의 대부분은 미국을 전혀 포함하지 않고 두 외국 법인 간에 이루어졌다. 일본 은행이 한국 기업에 달러 대출을 제공하는 것을 예로 들 수 있다.[42]

이러한 순수 역외 자금흐름은 항상 역외 금융 활동의 중요한 부분을 차지해 왔지만, 규제 주도 자금흐름이 감소함에 따라 그 비중이 더욱 커지고 있다. 순수 역외 달러 뱅킹 모델은 미국 밖에서 발생한다는 점에서 역내 달러 뱅킹과 비슷하다. 외국인이 달러를 원하기 때문에 역외 금융 시스템은 그들이 보유할 달러를 만들어 낸다.[43] 달러 대출에 적극적인 역외 은행은 미국에서 흔히 볼 수 있는 대형 글로벌 외국 은행이다. 반면 미국 은행은 역외 차입자에게 대출을 제공하는 것에 대해 적극적이지 않다.

---

42 Ibid

43 Friedman, Milton. “The Euro-Dollar Market: Some First Principles.” Federal Reserve Bank of St. Louis Review 53 (July 1971): 6–24. https://doi.org/10.20955/r.53.16-24.xqk

역외 달러 은행 업계와 역내 은행 업계의 중요한 차이점 중 하나는 그들이 주로 서비스를 제공하는 고객이다. 역외 달러 은행 부문은 주로 기업과 기관투자자에게 서비스를 제공하는 반면, 역내 은행 부문은 주로 개인 고객에게 서비스를 제공한다. 해외 소매 고객은 주로 자국 통화로 거래하므로 달러 수요가 제한적이다. 이러한 고객층의 차이는 달러 비즈니스를 운영하는 역외 은행의 자금 조달 프로필에 중요한 영향을 미친다.

미국 내 은행은 안정적인 소매예금에 의존할 수 있지만 역외 은행은 기관 양도성예금증서(institutional certificates of deposits, 줄여서 CD) 및 외환스왑(foreign exchange swap, 줄여서 FX swap)과 같은 금융상품을 활용하여 머니마켓을 통해 자금을 관리해야 한다. 이는 역외 달러 뱅킹이 뱅크런에 더 취약하다는 것을 뜻한다. 금융시장이 혼란스러울 때 개인 예금자는 정부가 예금을 보장하기 때문에 예금을 그대로 유지하는 경향이 있다. 그러나 기관투자자들은 정부 보험 한도를 훨씬 초과하는 투자금을 보유하고 있기 때문에 금융시장 상황에 매우 민감하며 문제가 발생하면 신속하게 자금을 상업은행에서 무위험 자산으로 옮긴다. 즉, 혼란의 시기에는 기관투자자들이 양도성예금증서(CD) 및 외환스왑 대출을 롤오버하지 않기 때문에 외부 자금 출처에 의존도가 높은 은행들은 어떤 대가를 치르더라도 자금을 조달하기 위해 안간힘을 쓰게 된다. 코로나19 패닉 기간 동안 해외 은행들은 자금 수요를 충족하기 위해 거의 5,000억 달러에 달하는 연준의 긴급 외환스왑 대출을 받았다.

외국 은행은 어떻게 달러를 발행하는가?
How Does a Foreign Bank Create Dollars?

이전 예시에서는 미국 은행이 대출을 만들 때 달러를 발행하면 중앙은행 준비금을 사용하여 은행 간 결제를 정산하는 방법을 설명했다. 만약 외국 은행이 연준에 계좌를 보유하고 있다면 동일한 방식으로 운영될 것이다. 대형 외국 은행은 일반적으로 연준 계좌를 보유하고 있지만 소규모 은행은 그렇지 않을 수 있다. 소규모 외국 은행도 달러 대출 사업을 할 수 있지만 대신 미국 은행에 예치된 달러 예금을 사용하여 은행 간 결제를 처리한다. 사실상 이 소규모 외국 은행은 부분지급준비시스템(fractional banking system)을 기반으로 자체적인 부분지급준비시스템을 다시 구축하는 것이다.

예를 들어, 소형 외국 은행이 외국 기업에 100달러를 빌려준다고 가정해 보자. 이 소형 외국 은행은 대차대조표에서 미국 대형 은행인 BUSA에 50달러의 예금을 준비금으로 보유하고 있으며, 이 대출로 인해 외국 기업에 100달러의 예금을 지급해야 한다. 이 외국 기업이 또 다른 미국 은행인 CUSA와 거래하는 공급업체에 10달러를 지불한다고 가정해 보자. 그러면 소형 외국 은행은 CUSA에 10달러의 지급을 정산해야 한다. BUSA는 중앙은행 준비금에서 10달러를 인출하여 CUSA의 준비금 계좌로 지급한다. 그런 다음 BUSA는 소형 외국 은행에 지급해야 하는 예금 50달러에서 10달러를 차감한다.

외국 기업 FCo는 소형 유럽 은행 SEB에서 100달러를 빌려서 10달러의 물품을 구입한다.

자산 (Assets)	**부채** (Liablities)
+100 달러 SEB에 예치 −10 달러 S에게 지불 +10 달러 물품 S에게 구입	+100 달러 대출

소형 유럽 은행 SEB는 공급업체 S에게 10달러를 지급한다.

자산 (Assets)	**부채** (Liablities)
50 달러 BUSA에 예치 +100 달러 FCo에게 대출 −10 달러 BUSA에 예치	자기자본 (Equity) +100 달러 FCo에 예치 −10 달러 S에게 송금

공급업체 S는 외국 기업 FCo로부터 10달러를 수령한다.

자산 (Assets)	**부채** (Liablities)
+10 달러 CUSA에 예치 −10 달러 물품 판매	

공급업체의 은행 CUSA는 외국 기업 FCo로부터 10달러를 수령한다.

자산 (Assets)	**부채** (Liablities)
대출 (Loans) +10 달러 준비금, BUSA로부터 수령	자기자본 (Equity) +10 달러 S에 예치

대형 미국 은행 BUSA는 소형 유럽 은행 SEB에게 돈을 지급한다.

자산 (Assets)	**부채** (Liablities)
대출 (Loans) -10 달러 준비금, CUSA에게 지급	자기자본 (Equity) -10 달러 SEB에 예치

이 그림은 몇 가지 중요한 사항을 보여준다. 첫째, 중앙은행 지급준비율과 중앙은행 준비금의 양은 은행 부문의 규모를 제한하지 않는다. 유로달러 시스템은 은행예금을 마치 중앙은행 준비금처럼 사용할 수 있으므로 사실상 은행예금을 무제한으로 확장할 수 있다. 만약 미국 상업은행의 준비금이 100달러이고 지급준비율이 10이면, 미국 내 총 예금은 1,000달러를 초과할 수 없다. 그러나 외국 은행이 100달러의 예금을 보유하고 있다면 이 예금을 준비금으로 사용하여 달러 대출을 제공하고 달러 예금을 만들 수 있다. 외국 은행은 연준의 규제를 받지 않으므로 자체적으로 지급준비율을 자유롭게 결정할 수 있다. 이는 위험 허용 범위에 따라 지급준비율이 높이거나 낮추는 것을 말한다. 지급준비율이 낮을수록 은행의 수익성은 높아지지만, 예금 인출에 어려움을 겪거나 뱅크런으로 인해 은행이 무너질 가능성도 높아진다는 점을 기억하자.

두 번째는 시중 통화량의 증가는 은행의 수익성에 의해 좌우된다는 것이다. 높은 신용등급을 지닌 차입자들이 수익성 있는 금리로 대출을 받으려고 하는 경우가 많다면 은행은 대출을 해줄 것이다. 은행의 대출 수익성은 대출 제공으로 벌어들이는 이자와 자금 조달 비용의 차이인

순이자마진(net interest margin)에 따라 크게 좌우된다. 이자가 0%인 소매예금이 많을수록 이상적이지만, 그렇지 않다면 머니마켓으로부터 시장금리(market rate)로 자금을 빌려야 한다. 상업은행의 일반적인 수익성을 추정하는 한 가지 방법은 수익률 곡선의 가파른 정도, 특히 3개월 만기 국채와 10년 만기 국채 간의 스프레드를 살펴보는 것이다. 스프레드가 넓을수록 은행 부문의 수익성이 높다는 것을 의미하며, 이는 경제성장에 긍정적이다.

모든 예금이 동일한 것은 아니다
Not All Deposits Are the Same

2008년 금융위기는 은행 부문을 중심으로 발생했다. 은행(그림자 은행 포함)은 부실 자산을 보유하고 있었기 때문에 파산할 가능성이 높았고, 많은 예금자가 패닉에 빠져 예금을 인출했다. 은행들은 인출을 충당하기 위해 자산을 매각했고, 이로 인해 자산 가격이 하락하면서 패닉이 더욱 심화되었다. 이 사건에 대응하여 전 세계 규제 당국은 은행을 더 안전하게 만들기 위해 바젤 III라는 새로운 규제를 고안했지만, 달러 은행의 구조에도 변화를 가져왔다.

바젤 III는 은행이 미국 국채와 같은 우량 유동성 자산을 더 많이 보유하도록 하여 은행의 안전성을 높이고 부채를 더 안정적으로 보유하도록 장려했다.[44] 규제 당국은 위기 상황에서 부채가 얼마나 '유동적'인지

---

44 이 규제를 유동성 보상 비율(Liquidity Coverage Rario)라고 한다.

에 따라 은행 부채를 분류했는데, 소매예금이 가장 안정적이고, 은행이나 그림자 은행의 무담보 예금이 가장 신뢰할 수 없는 부채로 분류되었다. 개인 예금자는 미국 연방예금보험공사(FDIC)가 제공하는 보험의 혜택을 받기 때문에 당황할 이유가 거의 없지만, 은행과 그림자 은행은 투자자의 인출을 충당하기 위해 예금을 인출해야 하는 경우가 많다.

규제 수단의 변화로 인해 많은 은행이 부채를 본질적으로 구조 조정해야 했다. 미국 내 대형 은행들은 규제 부담이 가장 컸기 때문에 그림자 은행 고객들을 대거 밀어내고 소매금융에서 점유율을 높이려고 했다. 이에 따라 그림자 은행은 바젤 III 규제가 덜 엄격한 중규모 미국 은행이나 외국계 은행으로 자금을 옮기기 시작했다.

이러한 구조적 변화는 도드-프랭크 법(the Dodd-Frank Act)[45]의 개혁으로 인해 FDIC의 보험 수수료 산정 방식이 변경되면서 더욱 강화되었다.[46] FDIC 수수료는 은행이 예금자에게 제공하는 FDIC 보험의 재원을 마련하기 위해 미국 은행에 부과된다. 이전에는 미국 은행이 보유한 미국 내 예금 금액을 기준으로 수수료를 평가했다. 새로운 평가 체계에서는 유형 자본을 제외한 모든 자산으로 평가 기준을 대폭 확대하고 위험에 따라 조정했다. 이러한 변화의 효과는 미국 은행들이 머니마켓에

---

45 2008년 금융위기에 대한 대응으로 미국의 금융당국과 금융규제 전반적인 개혁을 단행할 수 있도록 마련된 법안

46 Kreicher, Lawrence L., Robert N. McCauley, and Patrick McGuire. "The 2011 FDIC Assessment on Banks Managed Liabilities: Interest Rate and Balance-Sheet Responses." BIS Working Papers No. 413. BIS, May 2013. https://www.bis.org/publ/work413.htm

서 기관투자자로부터의 차입을 줄이고 대신 더 안정적인 소매예금에 의존하도록 장려하는 것이었다. 미국 은행들은 이러한 인센티브에 따라 머니마켓에서 돈을 더 이상 빌리지 않았다. 대신 기관투자자들은 FDIC 보험에 가입되어 있지 않아 FDIC 평가 수수료가 적용되지 않는 외국 은행으로 자금을 다시 옮겼다.

역외 미국 달러 자본시장
Offshore U.S. Dollar Capital Markets

차입자는 미국 이외의 지역에서 달러로 표시된 채권을 발행하여 달러를 확보할 수 있다. 최근 몇 년 동안 역외 달러 채권의 발행액은 역외 달러 은행 대출보다 더 빠른 속도로 증가했다. 외국 정부, 외국 기업, 외국 은행, 심지어 미국 기업까지 다양한 차입자가 미국 바깥에서 달러 증권을 발행한다.

역외 달러 채권을 발행하는 차입자는 일반적으로 은행에서 돈을 빌리거나 채권을 발행할 수 있다. 차입자가 채권을 발행하는 이유는 은행 대출보다 더 저렴하기 때문이다. 채권 금리는 일반적으로 미국 국채수익률을 벤치마킹하는데, 2008년 금융위기 이후 역사적으로 낮은 수준을 유지하고 있다. 역외 달러 채권 발행 증가의 역학 관계는 저금리로 인해 회사채 발행이 폭증한 미국 내 상황과 유사하다.[47]

---

47 이 책이 미국에서 출간된 연도인 2021년의 기준 금리는 0.1%대를 유지했지만, 2023년 12월 현재 연준의 기준 금리는 5.50%이다.

역외 달러 채권은 모든 관할권에서 발행할 수 있지만 일반적으로 런던과 같은 주요 금융 중심지에서 발행된다. 주요 금융 중심지에는 자본시장에 대한 깊은 전문성을 갖춘 은행가들과 채권 매입에 관심이 있는 대형 투자 펀드가 있다. 실제로 역외 달러 채권은 영국 법 또는 뉴욕 법에 따라 발행되는 경향이 있는데, 이는 국제 사회에서 이러한 법률 시스템을 더 높이 평가하기 때문이다. 분쟁이 발생하면 투자자는 차입자를 뉴욕이나 런던의 법정에 데려가 판결을 받은 다음 그 판결을 집행하려고 할 수 있다. 만약 차입자의 자산이 판결을 인정하지 않는 관할권에 있는 경우, 판결 집행이 어려울 수 있다. 디폴트가 발생한 아르헨티나 정부 달러 표시 채권의 투자자들은 미국 법원의 디폴트 판결을 받아 외국 항구에 정박 중인 아르헨티나 선박을 압류하여 대금을 지불한 것으로 유명하다.[48]

역외 달러 채권의 투자자는 미국 거주자와 해외 투자자를 모두 포함하지만 대부분의 역외 달러 채권은 해외 거주자가 매입한다.[49] 미국 기반 투자자가 해외 투자에 나서는 이유는 일반적으로 역외 달러 채권, 특히 고성장 이머징 마켓의 차입자가 발행한 채권이 제공하는 상대적으로 높은 수익률에 매료되기 때문이다. 역외 달러 채권은 환리스크에 노출되지 않고도 이머징 마켓의 높은 성장률을 통해 수익을 얻을 수 있다.

---

48 Jones, Sam, and Jude Webber. “Argentine Navy Ship Seized in Asset Fight.” Financial Times, October 3, 2012. https://www.ft.com/content/edb12a4e-0d92-11e2-97a1-00144feabdc0

49 He, Dong, and Robert N. McCauley. “Offshore Markets for the Domestic Currency: Monetary and Financial Stability Issues.” BIS Working Papers No. 320. BIS, September 2010. https://www.bis.org/publ/work320.htm

역외 달러 자본시장은 역외 달러 은행과 밀접한 관련이 있는데, 이는 채권 발행을 통해 미국 외에서 조달한 달러가 일반적으로 미국 외 은행에 예치되기 때문이다. 대부분의 경우 역외 채권 발행자는 역외 은행에 예치된 달러 예금을 빌린 후 다른 역외 은행에 예치한다. 역내 시장과 역외 시장은 서로 연결되어 있지만, 대부분의 역외 은행 활동에는 미국 거주 차입자나 대출 기관이 참여하지 않는다. 역외 은행은 달러 대출을 제공하면서 달러 예금을 만들고, 이러한 달러는 결제와 투자가 이루어지면서 역외 시스템에서 유통된다. 이러한 투자 중 일부는 역외 달러 채권에 투자되며, 달러 유통은 계속된다.

대부분의 역외 발행 채권은 역외 투자자가 구매하지만, 달러 자산을 보유한 역외 투자자는 달러 투자금의 대부분을 미국 내의 증권에 보유하고 있다는 점에 유의해야 한다. 전체적으로 미국 외 투자자는 약 20조 달러의 미국 기반 증권을 보유하고 있다.[50] 예를 들어, 외국 중앙은행은 외환 보유 포트폴리오에 약 7조 달러를 보유하고 있으며, 대부분 미국 국채나 기관 MBS와 같은 안전한 미국 달러 자산에 투자하고 있다. 외국 중앙은행은 자국민이 달러를 자국 통화로 환전할 때, 또는 통화 개입과 같은 중앙은행 운영의 부산물로써 달러를 확보한다. 미국보다 금리가 낮은 일본과 유로존의 기관투자자들은 미국 국채, 기관 MBS, 회사채 등 미국 기반 자산에 대한 투자를 늘리고 있다. 이들은 주로 외환스왑 대출을 통해 달러를 확보했다.

---

50 "Foreign Portfolio Holdings of U.S. Securities as of 6/28/2019." U.S. Treasury, April 2020. https://ticdata.treasury.gov/Publish/shl2019r.pdf

대량살상무기로서의 달러
The Dollar as a WMD

유로달러 시스템은 역외에 있지만 궁극적으로 모든 달러 은행 거래는 출처에 관계없이 미국 은행 시스템과 연결된다. 결국 역외 달러가 역내 달러로 대체되지 않는다면 역외 달러는 실제로 달러가 아니다. 미국 정부는 미국 은행 시스템, 더 나아가 역외 은행 시스템에 대한 권한을 가지고 있다. 이는 미국 정부가 전 세계 은행 시스템을 통해 이루어지는 거의 모든 달러 거래에 대한 권한을 가지고 있다는 것을 의미한다. 이것이 어떻게 작동하는지 예를 들어 살펴보자.

카자흐스탄의 KBank라는 은행이 달러 대출 사업을 한다고 가정해 보자. KBank는 고객에게 1,000달러의 대출을 제공하고 고객의 계좌에 1,000달러를 입금한다. 그런 다음 고객은 이 1,000달러를 인출하여 UBank라는 미국 공급업체의 거래 은행에 대금을 지불한다. KBank는 UBank에 1,000달러의 대금 지불을 정산해야 한다. 이 작업을 수행할 수 있는 방법은 두 가지가 있다. 1) 연준에 준비금 계좌가 있는 경우, 준비금 1,000달러를 송금하거나, 2) 미국 상업은행에 예금으로 달러를 보유하고 있는 경우, 해당 상업은행에 준비금 1,000달러를 송금해 달라고 요청해야 한다. 두 번째 경우, KBank의 미국 상업은행은 준비금 1000달러를 UBank에 송금하는 동시에, 장부에 기재된 KBank의 예금 잔액은 1,000달러 차감된다. 두 경우 모두 거래는 미국 은행 시스템을 거쳐야 한다.

이는 KBank가 미국 외 상업은행에 달러 예금을 보관하고 있고, 공급업체가 미국 외 상업은행과 거래하는 경우에도 마찬가지이다. 이번에는 KBank가 런던의 상업은행에 달러를 예금으로 보유하고, 공급업체는 파리의 상업은행과 거래한다고 가정해 보자. 이 경우 KBank는 런던 은행에 1,000달러를 파리에 있는 공급업체 거래 은행에 송금하도록 요청할 것이다. 런던 은행은 달러를 미국 상업은행에 보유하고 있고, 이 (미국) 상업은행은 연준 계좌를 갖고 있다. 반면 파리 은행은 번거로운 절차를 거쳐 연준 계좌를 개설하였기 때문에, 다른 상업은행에 달러를 보관할 필요가 없다. 런던 은행은 미국 상업은행에 파리 은행의 계좌로 1,000달러를 송금을 요청하면, 파리 은행은 이 금액을 공급업체의 계좌에 입금하게 되고, 미국 상업은행은 파리 은행에 준비금 1,000달러를 송금할 것이다. 두 은행이 모두 외국 은행이지만 달러 거래는 궁극적으로 미국 은행 시스템을 거쳐야 한다.

미국 정부는 미국 은행 시스템에 대한 통제를 통해 누구든 달러 은행 시스템에서 배제할 수 있는 권한을 가지고 있다. 미국 정부가 누군가를 제재해야 한다고 결정하면 그 사람은 전 세계 어디에서든 상업은행을 통해 달러를 송금하거나 받을 수 없게 된다. 은행은 이러한 제재를 매우 심각하게 받아들이는데, 제재를 위반한 사실이 적발되면 미국 은행 시스템에서 퇴출될 수 있기 때문이다. 이는 모든 은행에게 사형선고나 다름없다. 2014년 6월, BNP 파리바는 수단, 이란, 쿠바가 미국의 제재를 피하고 미국 은행 시스템을 통해 자금을 이동하는 것을 도운 사실을 인정했다. 그들은 90억 달러라는 엄청난 벌금을 물어야 했다.

최근 몇 년 동안 미국 정부는 달러 결제에 대한 통제권을 정책 추진에 활용하려는 의지가 강해졌다. 글로벌 달러 시스템에서의 배제는 대부분의 국가를 석기시대로 되돌릴 것이다. 달러는 미국이 보유한 가장 강력한 비살상 무기로 볼 수 있다. 미국과 유로존의 제재를 받고 있는 이란은 이제 석유를 팔아 금으로 돈을 지급받아야 한다.

세계 중앙은행
The World's Central Bank

존 코널리(John Connally) 전 미국 재무장관은 "The dollar is our currency, but your problem. (달러는 우리의 통화지만, 당신들의 문제다)"라는 유명한 말을 남겼다. 이 발언은 1971년 미국이 금본위제에서 달러를 제외하자 충격을 받은 외국 정부 관리들에게 한 말이었다. 금본위제에서 벗어나면서 미국은 더 느슨한 재정 정책을 펼칠 수 있게 되었지만, 미국 달러화의 가치가 크게 평가절하 되었다. 이는 글로벌 시장에 혼란을 초래했고, 당시 미국 정부 관리들은 이를 동정하지 않았다.

수십 년 동안 미국 정책 입안자들은 달러가 해외 금융 상황에 미치는 영향에 대해 점점 더 민감해졌다. 이는 부분적으로는 해외의 경제 및 금융 상황이 자국 경제에 더 쉽게 영향을 미치는 글로벌 경제의 상호 연결성이 높아졌기 때문이다. 방대한 역외 달러 시스템의 존재는 몇 가지 중요한 의미를 내포한다. 미국 통화정책이 해외 경제에 미치는 영향력이 크게 강화되고 금융 불안정의 위험이 크게 높아진다는 점이다.

연준은 달러 금리에 상당한 영향력을 가지고 있으며, 달러는 전 세계적으로 사용되기 때문에 연준의 통화정책 결정은 광범위한 결과를 가져온다. 예를 들어, 신흥 시장의 중앙은행은 인플레이션을 막기 위해 상대적으로 높은 금리를 설정하는 경향이 있다. 하지만 연준이 금리를 상대적으로 낮은 수준으로 설정하면 신흥 시장 기업들은 달러로만 대출을 받을 것이다. 달러는 널리 통용되며 심지어 일부 자국 통화보다 선호되기도 한다. 사실상 연준은 다른 중앙은행으로부터 통화정책에 대한 통제권을 일부 빼앗아가고 있는 것이다.

대규모 역외 달러 시장은 잠재적으로 불안정할 수 있는데, 역외 시장 참여자들은 미국 은행들처럼 연준을 최후의 수단으로 삼지 않기 때문이다. 만약 미국 내 은행이 갑자기 감당할 수 없는 인출이나 지급이 발생할 경우, 재무적으로 건전하다면 연준의 할인 창구에서 자금을 빌릴 수 있다. 이러한 안전망은 뱅크런을 방지하는 데 도움이 된다.

반면 유로달러 시스템의 은행이 반드시 동일한 안전망을 갖추고 있는 것은 아니다. 미국에 지점이 있는 외국 은행들은 연준의 할인 창구를 이용할 수 있지만, 많은 외국 은행들은 미국에 지점이 없다. 실제로 모든 대형 외국 은행은 미국에 지점을 가지고 있지만, 소규모 은행은 그렇지 않다. 연준에 계좌를 신청하고 유지하는 것은 비용이 많이 드는 과정이며, 대형 상업은행에 예금으로 달러를 보유하는 소형 외국 은행은 일반적으로 그만한 가치가 없다. 이러한 소형 외국계 은행에 자금이 부족해지면 이들은 도매 자금 시장(wholesale funding markets)에 뛰어들어 달러 입찰을 시작한다. 이러한 달러 수요는 단기 달러 금리를 상승시키고 금융시장을 불안정하게 만든다.

금융 위기가 발생할 때, 연준은 외국 은행에 대출을 제공하고 역외 달러 시장을 지원하겠다는 의지를 보여 왔다. 2008년 금융위기와 2020년 코로나19 패닉 당시 연준은 외국 은행에 최후의 수단으로 대출을 제공했는데, 연준이 외국의 중앙은행에 달러를 빌려주고, 해당 중앙은행이 다시 관할권 내 외국 은행들에게 달러를 빌려주는 방식이었다.[51] 연준은 신용 위험이 낮고 외환을 담보로 제공하는 외국 중앙은행에 대출을 해주기 때문에 이 방식이 문제가 없다고 여긴다. 연준은 사실상 전 세계의 중앙은행이자 달러 뱅킹 시스템의 궁극적인 후원자가 된 것이다.

---

51 Aldasoro, Iñaki, Torsten Ehlers, Patrick McGuire, and Goetz von Peter. "Global Banks' Dollar Funding Needs and Central Bank Swap Lines." BIS Bulletin No. 27. BIS, July 16, 2020. https://www.bis.org/publ/bisbull27.htm

SECTION II Markets

"The Fed does not have the legal right to purchase equities. However, the Fed has been creative in finding ways to support the financial markets in times of crisis."

섹션 II 시장

연준은 주식을 매입할 법적 권한이 없다. 그러나 연준은 위기 상황에서 금융시장을 지원할 방법을 창의적으로 찾아왔다.

5장 금리

CHAPTER 5 Interest Rates

금리는 모든 금융 또는 실물 자산 가격의 초석이다. 예를 들어, 주택 구매자는 주택 구입 지불 가격을 결정할 때 모기지 금리를 고려하고, 기업 인수자는 정크본드 자금 조달 비용을 일부 고려하여 다른 기업에 적대적인 입찰을 하며, 투자자는 주식 가격을 책정할 때 현금흐름을 파악하고 위험 조정 금리를 적용하여 자산 가격을 할인한다. 자산에는 비용이 들며, 금리가 그 비용을 결정한다.

모든 미국 달러 자산의 기본 금리는 미국 국채 수익률(treasury yield)이며, 이는 투자자가 미국 국채에 투자할 때 얻는 수익률이다. 이러한 수익률은 무위험으로 간주되므로 모든 위험 투자를 판단할 수 있는 기준이 된다. 투자자는 미국 국채를 매수하여 얼마를 벌 수 있는지 살펴본 다음 해당 수익률을 다른 잠재적인 투자가 제공하는 수익률과 비교할 것이다. 투자자는 위험이 높은 투자에서 조금 더 많은 수익을 기대할 것이며, 위험도에 따라 투자자가 요구하는 추가 프리미엄이 증가한다. 따라서 국채 수익률 수준은 모든 자산의 기대 수익률에 중요한 영향을 미친다. 예를 들어, 국채수익률은 모기지 및 정크본드 투자자가 기대할 수 있는 수익률 수준과 주식 가치 평가에 사용되는 할인율에 일부 영향을 미칠 것이다.

미국 재무부는 1개월에서 30년 사이의 만기로 국채를 발행하며, 이러한 국채의 수익률이 국채수익률 곡선을 형성한다. 수익률 곡선은 위쪽으로 기울어지는 경향이 있으며, 이는 만기가 긴 수익률이 만기가 짧은 수익률보다 높은 경향이 있음을 뜻한다. 연준은 단기금리를 통제하지만 장기금리는 주로 시장의 힘에 의해 결정된다. 국채수익률 수준은 자산 가격에 강력한 영향을 미칠 수 있는데, 수익률이 낮으면 자산 가격 평가액이 높아지기 때문이다. 수익률 수준과 수익률 곡선의 형태를 분석하면 시장이 연준의 다음 조치에 대해 어떻게 생각하는지, 그리고 경제성장과 인플레이션에 대한 시장의 기대치를 알 수 있다.

단기금리
Short-term Interest Rates

연준은 오버나이트 금리를 통해 단기금리를 조정한다. 이론적으로 이는 상업은행이 무담보로 지급준비금을 빌리기 위해 오버나이트 대출을 받을 때 지불하는 금리인 연방기금금리를 조정하는 것이다. 연준이 연방기금금리의 목표 범위를 설정함으로써 시장 참여자가 오버나이트 금리를 3개월 또는 6개월 만기와 같이 조금 더 긴 만기의 금리를 결정하는 기준으로 사용하도록 유도하여 단기금리 곡선 전체에 영향을 미칠 수 있다. 예를 들어, 연준이 당분간 연방기금금리를 약 1%로 설정했다면, 3개월 대출 금리가 최소 1% 이상이어야 하는데, 그렇지 않으면 대출 기관은 매일 1%의 금리로 오버나이트 대출을 제공하고 자신의 자금을 3개월 투자에 묶어두지 않을 것이다.

역사적으로 연준은 은행 시스템의 지급준비금 규모를 조절하여 연방기금금리를 관리했다. 상업은행들은 법에 따라 예금 대비 일정 수준의 지급준비금을 보유해야 하며, 연준만이 지급준비금을 조성할 수 있는 유일한 기관이다. 연준의 트레이딩 데스크는 매일 지급준비율 수요 곡선을 추정한 다음, 연방기금금리를 목표 범위 내에서 유지하는 데 필요한 은행 시스템의 지급준비금 규모를 조정한다. 그러나 연준이 양적완화를 시작하면서 연방기금금리를 관리하는 이 방법은 더 이상 쓸모가 없어졌다. 양적완화로 인해 은행 시스템의 지급준비금 수준이 약 200억 달러에서 수조 달러로 증가한 것이다. 따라서 더 이상 지급준비금 규모를 조절하여 연방기금금리를 관리할 수 없게 되었다.

현재 지급준비금 수준이 매우 높은 상황에서 연준은 역레포 제공금리(RRP offering rate)와, 연준 계좌에 보유된 은행의 준비금에 지급하는 이자를 조정하여 연방기금금리를 조정한다. 역레포는 여러 시장 참여자들에게 역레포 제공금리로 연준에 대출을 제공할 수 있는 옵션을 부여한다. 이러한 시장 참여자들은 머니마켓펀드, 프라이머리딜러, 상업은행, 정부후원기업 일부가 포함된다. 시장 참여자가 역레포 제공금리로 연준에 무위험 대출을 제공할 수 있는 옵션은 민간 부문에서 얻을 수 있는 수익률에 하한선을 설정한다. 예를 들어, 투자자가 연준에 1%의 무위험 오버나이트 대출을 제공할 수 있다면, 1%보다 낮은 금리로 대출을 제공하지 않을 것이다. 역레포 제공금리는 사실상 시장에서 오버나이트 금리의 최저 수준이며, 연준의 목표 금리 범위 하단에서 설정된다. 이는 연방기금금리가 목표 금리 범위 아래로 떨어지는 것을 방지하기 위함이다.

연준은 지급준비금에 지급하는 이자를 조정하여 연방기금금리가 목표 범위 내에서 유지되도록 한다. 금융위기 이전에는 연준은 준비금에 이자를 지급하지 않았다. 상업은행은 연준으로부터 위험 없이 이자를 지급받을 수 있기 때문에, 연방자금시장에서 대출을 제공하거나 돈을 빌릴 때 협상 우위를 점할 수 있다. 만약 지급준비금의 이자율이 1%라면 은행은 이자율이 1% 이상일 때만 준비금 대출을 제공할 것이다. 그렇지 않으면 은행은 준비금을 연준 계좌에 보관하여 연준으로부터 1%의 이자를 받을 것이다. 일부 상업은행은 머니마켓에서 돈을 빌리려고 하겠지만 지급준비금의 이자율보다 낮은 금리로만 돈을 빌릴 것이다.[52] 이는 은행이 연준 계좌에 돈을 예치하여 연방기금금리와 지급준비금의 이자율 사이의 차액을 벌 수 있기 때문이다. 때때로 일부 상업은행은 연방자금을 상대적으로 저렴한 자금 조달원으로 인식하고, 지급준비금 이자보다 높은 이자율로도 돈을 빌린다. 이러한 은행들은 연방기금금리를 지급준비금 이자율보다 높이 끌어올릴 수 있지만, 여전히 지급준비금의 이자율을 기준금리로 간주한다. 따라서 연준은 지급준비금의 이자율을 조정하여 연방기금금리를 목표 금리 내에서 유지할 수 있다. 최근 몇 년 동안 연준은 은행의 준비금에 지급하는 이자를 조정하여 연방기금금리를 지속적으로 조정할 수 있었다.

---

52 일부 기관은 연준에 준비금 계좌를 보유하고 있지만 준비금에 대한 이자를 얻지 못한다. 여기에는 패니 메이, 프레디 맥, 연방주택대출은행이 포함된다. 이러한 기관은 준비금에 대한 이자를 얻지 못하기 때문에 준비금 이자보다 낮은 금리로 준비금을 빌려줄 의향이 있다.

연준은 연방기금금리의 관리를 연준 정책 도구의 필수적인 부분으로 간주하고 있으며, 이를 유지하기 위해 많은 노력을 기울여 왔다. 최근 몇 년 동안 연준이 연방기금금리에 대한 통제력을 상실한 경우는 2019년 9월 17일, 단 한 번이었다. 그날 밤 레포 시장에서는 금리가 5% 이상으로 두 배 이상 폭등하는 등 엄청난 변동성이 발생했다. 연방자금시장의 대출 기관들은 오버나이트 레포 시장의 높은 금리를 보고 이를 협상 우위로 삼고 연방기금금리를 연준의 목표 범위보다 높이 끌어올렸다. 연준은 이에 대응하여 양적완화를 재개하고 2008년 금융위기 이후 하지 않았던 수천억 달러의 대출을 레포 시장에 제공하기 시작했다. 그 결과 오버나이트 레포금리가 통제되고 연방기금금리는 목표 범위로 다시 돌아왔다.

실제로는 역레포 제공금리가 연방기금금리보다 훨씬 더 영향력 있는 금리일 것이다. 역레포 금리는 다양한 시장 참여자가 이용할 수 있는 반면, 연방기금금리는 상업은행만 이용할 수 있다. 즉, 역레포 금리의 변화는 훨씬 더 많은 시장 참여자들의 기회비용에 영향을 미친다. 또한 2008년 금융위기 이후 규제로 인해 상업은행들이 머니마켓펀드에서 더 이상 돈을 빌리지 않았고, 그 결과 머니마켓에서의 활동이 크게 감소했으며, 연방기금금리의 변화가 시중 금리에 미치는 영향은 더욱 줄어들었다.

연준은 오버나이트 금리에 대한 엄격한 통제를 바탕으로 국채수익률 곡선을 따라 영향력을 행사할 수 있지만, 만기가 길어질수록 그 영향력은 급격히 감소한다. 시장 참여자들은 연준이 설정한 오버나이트 금리를 참고하여 1주, 1개월, 2개월 등 국채의 만기수익률이 어떻게 되어야 하는지를 평가한다.[53] 연준이 목표 금리 범위를 조정하지 않을거라 예상하면, 시장 참여자들은 이러한 단기 무위험 금리가 오버나이트 무위험 금리(overnight risk-free rate)보다 약간 높을 것으로 예상할 것이다. 그렇지 않으면 대출 기관은 돈을 단기 자산에 묶어두는 대신, 원하는 날에 회수할 수 있는 옵션을 유지하면서, 오버나이트 대출만 계속 제공할 것이다. 하지만 수익률 곡선에서 멀리 떨어져 있을수록 현재 오버나이트 금리는 중요하지 않다. 그 이유는 연준이 향후 경제 전망의 변화에 따라 오버나이트 금리를 조정할 것이며, 금리의 만기가 단기에서 중장기로 갈수록 경제 상황에 대한 기대가 점점 더 중요해지기 때문이다. 중장기의 금리는 주로 시장 참여자들의 견해에 따라 결정된다.

장기금리
Longer-Term Interest Rates

연준이 단기금리를 결정하는 동안 시장은 장기금리를 결정한다. 투자자가 장기 대출을 고려할 때 연준이 향후 단기금리를 어떻게 설정할지, 미래 인플레이션 예상치, 예상치의 변동성, 향후 국채 발행의 수요와 공급 역학 등 여러 요인을 고려하게 된다. 정책금리의 향방 예상은 퍼즐의

53 실제로 오버나이트 무위험 금리(역레포 금리)를 기간 무위험 금리로 확장하는 데는 몇몇 단계가 더 있다. 오버나이트 역레포 금리는 오버나이트 국채 레포금리에 영향을 미치고, 이는 다시 기간 국채 레포금리에 영향을 미치며, 이는 결국 국채의 가격에 영향을 미친다. 역레포는 위험이 없는 거래상대방(연준)을 가진 오버나이트 역레포 창구이므로 오버나이트 역레포 시장에 직접적인 영향을 미친다.

한 조각에 불과하므로 장기금리에 대한 연준의 영향력은 약하다.

장기 수익률(longer-term yields)에 대해 생각하는 일반적인 프레임워크는 단기금리의 향방에 대한 기대와 기간 프리미엄(term premium)이라는 두 가지 요소로 나누는 것이다. 예를 들어, 10년 만기 국채에서 얻을 수 있는 수익률은 연준에 10년 동안 무위험으로 오버나이트 대출을 제공했을때의 대출 금리와, 10년 동안 돈을 묶어두는 것에 대한 프리미엄을 더한 값과 같다. 첫 번째 요소는 앞으로의 연준의 행동에 대한 시장의 인식에 따라 달라지고, 이는 다시 향후 인플레이션을 시장이 어떻게 인식하는지에 따라 달라진다. 다행히도 향후 정책 방향에 대한 시장의 시각을 쉽게 알 수 있는 간단한 방법이 있다.

단기금리 선물시장은 향후 단기금리가 어떻게 될 것인지에 대한 시장의 생각을 엿볼 수 있다. 가장 인기 있는 단기금리 선물은 유로달러 선물시장이다. 유로달러 선물시장은 세계에서 가장 유동성이 풍부한 파생상품 시장이다. 유로달러 선물은 기본적으로 향후 3개월 LIBOR 금리가 어떻게 될지에 대한 시장의 최선의 추측이다. 3개월 금리는 연준의 통제 범위 내에 있기 때문에, 이는 주로 연준이 앞으로 무엇을 할 것인지, 그리고 경제 상황이 어떻게 전개될지에 대한 베팅이다.

모든 금융상품 중에서 유로달러 선물은 경제 펀더멘털을 가장 잘 반영한다. 유로달러 트레이더는 연준이 경제 지표에 따라 반응할 것이라는 것을 알기 때문에 다른 자산 클래스가 흥분하거나 공포에 휩싸일 때에도 경제지표에 집중한다. 종종 그들은 연준의 의견에 동의하지 않는 경우도 있다.

예를 들어 2018년 9월 연준은 '점도표' 예측을 통해 2019년에 금리를 75bp (0.75%) 인상할 것으로 예상한다고 발표했다. 유로달러 선물시장은 이를 보고 금리 인상을 가격에 반영했다. 연준은 12월 회의에서 2019년 금리 인상 예상치를 50bp(0.50%)로 소폭 낮췄다. 그러나 이번에는 유로달러 시장은 연준이 2019년에 금리를 인하할 것으로 예측했다. 유로달러 트레이더들은 12월 주식시장의 큰 하락으로 연준이 생각을 바꿀 것이라고 예상했을 것이다. 늘 그렇듯이 시장의 예상은 적중했고 연준은 결국 2019년에 세 차례 금리를 인하했다.[54]

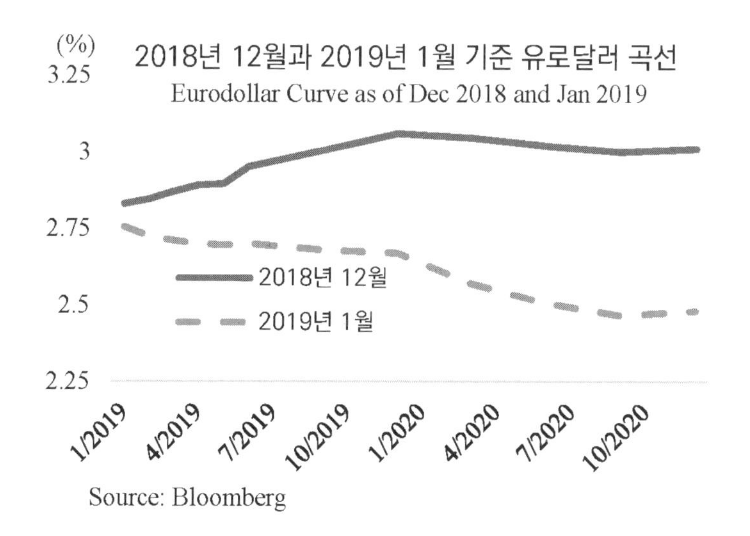

매년 3월, 6월, 9월, 12월, 만기 월의 이름을 딴 4개의 주요 유로달러 선물 계약이 있다. 각 계약은 해당 월의 계약 만기일에 3개월 LIBOR가

54 실제로 리보에는 신용 요소도 포함되어 있다. 시장 스트레스가 심한 시기에는 연준이 정책 기조를 바꾸지 않더라도 리보 금리는 상승한다. 이는 디폴트 위험이 높아지기 때문이다.

얼마인지 베팅하는 것이다. 유로달러 계약은 수년에 걸쳐 제공되므로 시장 참여자는 시장이 향후 단기금리를 어떻게 예상하는지 쉽게 파악할 수 있다. 예를 들어 2027년 3월 유로-달러 계약의 내재금리는 2027년 3월 3개월 LIBOR 금리가 어떻게 될 것인지 시장이 예상하는 최선의 추측인 것이다.

시장 참여자는 유로달러 선물에 내재된 금리를 보고 단기금리의 향방에 대해 시장이 예상하는 최선의 추측을 파악할 수 있다.[55] 그런 다음 이를 기준으로 삼고 현재 국채금리와 비교하여 '기간 프리미엄(term premium)'을 도출할 수 있다.[56] 물론 '기간 프리미엄'은 단기금리의 향방으로 설명할 수 없다. 그러나 투자자가 장기국채에 투자하기 위해 기간 프리미엄을 요구할 것이라고 예상하는 것은 무리가 아니다.

최근 몇 년간 '아드리안-크럼프-멘치(Adrian-Crump-Moench)' 모델을 사용한 기간 프리미엄 추정치는 역사적으로 낮았는데, 이는 최근 몇 년간 인플레이션 변동성이 낮고 투자자가 미국 국채 보유를 통해 얻는 헤지 혜택 때문이다.[57] 1970년대와 1980년대에는 인플레이션이 매우 높고 변동성이 컸지만 지난 10년간의 인플레이션은 매우 완만했다. 인플

---

55 실제로 3개월 리보금리와 연방기금금리 사이에는 시간이 지남에 따라 변동하는 스프레드가 존재한다. 단기금리의 향방을 보다 명확하게 파악하려면 이 스프레드를 설명할 수 있는 복잡한 모델이 필요하다.

56 기간 프리미엄 계산은 복잡하고 모델에 따라 크게 달라진다. 각 모델은 서로 다른 가설과 입력값을 사용하고, 서로 다른 값을 산출할 수 있다.

57 Clarida, Richard. "Monetary Policy, Price Stability, and Equilibrium Bond Yields: Success and Consequences." Speech, November 12, 2019. https://www.federalreserve.gov/newsevents/speech/clarida20191112a.htm

레이션 변동성이 낮아지면 예측이 더 정확해져 투자자가 요구하는 기간 프리미엄 수준이 낮아진다. 또한 주식과 미국 국채의 음의 상관관계가 최근 몇 년 동안 더욱 강해졌다. 따라서 미국 국채 보유는 주식시장 하락에 대한 헤지 수단으로 가치가 있기 때문에 많은 투자자들은 낮은 기간 프리미엄에도 불구하고 국채를 보유하려고 할 것이다.

위의 논의는 장기금리가 어떻게 결정되는지에 대해 생각할 수 있는 이론적 틀을 제공하지만, 기본적인 수요와 공급 역학도 중요한 역할을 한다. 다른 상품과 마찬가지로 공급의 증가는 가격 하락으로 이어진다. 미국 재무부가 시장의 예상보다 더 많은 국채를 발행하면 더 많은 투자자를 유치하기 위해 국채수익률이 상승해야 한다. 안타깝게도 국채의 수요와 공급은 모두 예측하기 어렵다.

국채의 공급은 연방정부의 재정 적자에 따라 결정된다. 연방정부가 대규모 예산 적자를 발표하면 일반적으로 국채 시장은 이 소식을 국채 공급 증가로 해석하고 그에 따라 수익률이 소폭 상승한다. 재무부는 분기별로 재정 적자 추정치를 발표하여 투자자들을 돕지만, 궁극적으로 재정 적자 수준은 정치적 결정에 따라 달라지기 때문에 실제로 이러한 추정치는 그다지 유용하지 않다. 향후 정치인들이 지출이나 세금을 조정하여 예상치를 쓸모없게 만들 수 있다. 또한 재무부는 발행하기로 선택한 부채의 만기에 어느 정도 유연성을 가지고 있다. 단기국채 발행에 집중하면 장기국채 수익률에 미치는 영향은 제한적이지만, 장기국채 발행은 장기국채 수익률에 직접적인 영향을 미친다. 재무부는 때때로 연방정부의 재정 적자를 충당하기 위해 새로운 부채를 발행할 것이며, 가장 최근에는 2020년 2분기에 20년 만기 국채를 발행했다. 이러한 모든 변수들은 예측하기 힘들다.

미국 국채에 대한 향후 수요도 향후 공급만큼 예측하기 어렵다. 국채는 전 세계 투자자가 매입하며 해외 수요는 부분적으로 외국 통화정책과 대외 무역정책에 의해 결정되기 때문이다. 최근 몇 년 동안 일본과 유로존의 마이너스 금리로 인해 미국 국채에 대한 수요가 증가했으며, 미국 국채는 계속해서 플러스 수익을 제공하고 있다. 미국의 계속되는 무역 적자로 인해 많은 해외 국가들이 달러를 대량으로 축적하여 국채에 재투자하고 있다. 대미 무역 흑자를 계속 기록하고 있는 중국과 일본은 각각 약 1조 달러의 미국 국채를 보유하고 있다.[58] 외국의 무역 정책이나 통화정

---

58 U.S. Treasury. "Major Foreign Holders of Treasury Securities," https://ticdata.treasury.gov/Publish/mfh.txt

책의 변화는 국채에 대한 해외 수요에 영향을 미칠 수 있지만 예측하기는 쉽지 않다.

연준은 미국 내에서 국채를 가장 많이 매입하는 기관이다. 연준의 조치는 금융 상황과 당시 정책 결정자의 판단에 따라 달라지기 때문에 예측하기 매우 어렵다. 2019년에는 많은 시장 참여자들이 연방정부의 재정 적자 증가로 인해 국채수익률이 상승할 것으로 예상했다. 2020년 코로나19 패닉이 닥쳤을 때 연준은 몇 주 만에 1조 달러가 넘는 국채를 매입하기로 결정했고, 앞으로도 대규모 매입을 계속하기로 약속했다. 이를 통해 수요 문제를 근본적으로 해결하고 국채수익률을 사상 최저 수준으로 유지했다. 코로나19 패닉과 연준의 강력한 대응은 사전에 예측할 수 없었다. 연준의 국채 매입 의지가 점점 더 강해지면서 장기 수익률에 영향을 미치는 다른 요인들은 덜 중요해 보인다.

연준 외에 연기금, 보험사, 상업은행, 뮤추얼펀드 등이 미국내 주요 투자자들로 꼽힌다. 규제는 이러한 투자자들에게 국채와 같은 저위험 자산을 보유하도록 인센티브를 제공한다. 예를 들어, 바젤 III는 대형 상업은행이 미국 국채와 같은 양질의 유동성 자산을 상당량 보유하도록 의무화하고 있다. 이러한 미국 내 투자자의 국채 수요는 안정적으로 보이지만 규제 프레임워크의 변경에 따라 달라질 수 있다. 예를 들어 더 많은 위험을 감수할 수 있도록 규제가 변경되면, 안전하지만 수익률이 매우 낮은 국채에 대한 수요는 감소한다. 연기금이 채무를 이행할 수 없는 위기가 찾아오면 이러한 규제 조정으로 이어질 수 있다.

곡선의 형태
Shape of the Curve

수익률 수준과 더불어 수익률 곡선의 모양도 투자자에게 중요한 관전 포인트이다. 수익률 곡선은 경제 상황에 대한 시장의 인식을 유추하는 데 사용할 수 있다. 일반적으로 시장 참여자들은 역전수익률 곡선(inverted yield curve), 즉 장기 수익률(보통 10년물 국채)이 단기 수익률(보통 2년물 국채 또는 3개월물 단기국채)보다 낮은 수익률 곡선을 주목하는데 이는 경제가 곧 불황에 빠질 것임을 시사한다.

장기금리는 결정하는 요인 중 하나는 단기금리의 향방에 대한 시장의 기대이다. 장기금리가 단기금리보다 낮으면 시장은 연준이 곧 단기금리를 인하할 것으로 예상한다. 곧 일어날 금리 인하는 이미 장기국채 가격에 반영되어 있을 것이다. 시장이 연준이 곧 금리를 인하할 것으로 예상하는 이유는 경제가 약화되고 연준이 행동에 나설 것이라고 믿기 때문이다. 채권시장 참여자들은 상당히 수준 높은 투자자들이고 경제 상황에 매우 민감하기 때문에 그들의 판단을 가볍게 여겨서는 안 된다. 항상 그런 것은 아니지만, 실제로 시장은 연준이 무슨 일이 일어나고 있는지 파악하기 전에 경기 약세를 감지한다.

수익률 곡선의 모양도 부분적으로 연준의 조치에 의해 결정된다. 연준은 양적완화를 통해 장기 채권을 매입하여 장기 수익률을 효과적으로 낮추고 장기 수익률에 하방 압력을 가하여 수익률 곡선을 평평하게 만든다. 과거에도 연준은 단기국채를 매도하고 장기국채를 매수하여 수익률 곡선의 평탄화 작업을 수행한 적이 있다.[59] 이는 장기금리에 하방 압력을 가하는 것 외에도 단기금리를 상승시켜 수익률 곡선을 평탄화한다. 따라서 연준의 포트폴리오 규모와 구성은 국채수익률 곡선의 형태에 영향을 미친다.

일부 논평가들은 연준의 개입으로 인해 국채수익률이 더 이상 경제 펀더멘털을 반영하지 않는다고 지적한다. 2020년 중반 연준의 국채 발행 비중은 약 20%로 주요 중앙은행 중 상대적으로 낮지만 점차 증가하고 있다. 발행 국채의 대부분이 시장에서 자유롭게 거래되기 때문에 국채수익률은 여전히 경제 상황에 민감하게 반응할 가능성이 높다. 금리는 연준의 조치에 영향을 받더라도 여전히 기초 경제 상태에 대한 가장 좋은 시장 신호로 간주된다.

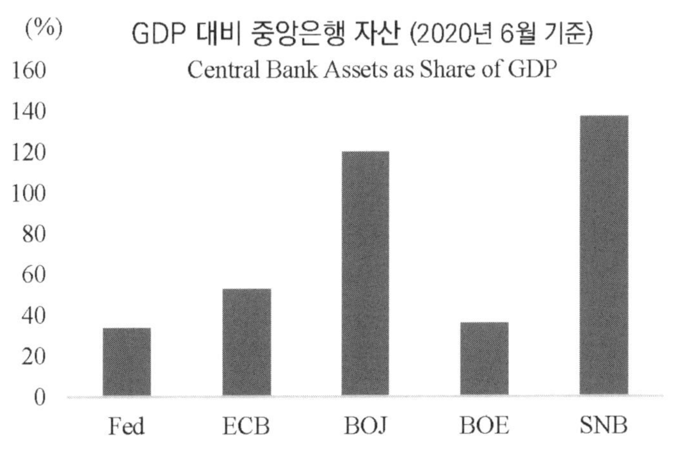

59 2011년 9월 21일에 발표된 만기 연장 프로그램(Maturity Extension Program)을 말한다.

6장 단기금융시장

CHAPTER 6 Money Markets

머니마켓(단기금융시장)은 만기가 하룻밤에서 1년 정도인 단기 대출을 위한 시장이다. 머니마켓은 금융 시스템의 배관과도 같아서 금융 시스템을 작동시키지만 잘 알려지지 않은 시장이다. 그림자 은행과 상업은행은 머니마켓에서 차입한 단기 유동성 부채로 장기 비유동성 자산의 자금을 조달하는 구조로 되어 있는 경우가 많다. 머니마켓이 제대로 작동하지 않으면 은행은 운영이 불가능하다. 머니마켓이 붕괴되면 머니마켓펀드는 단기부채를 롤오버할 수 없고 대출 상환을 위해 자산을 매각해야 한다. 과거부터 지금까지 머니마켓의 붕괴는 파이어 세일로 이어졌고 금융위기를 촉발했다.

머니마켓에는 담보 및 무담보형 머니마켓이 있다. 담보형 머니마켓에서 차입자는 단기 대출을 위해 금융자산을 담보로 제공한다. 무담보형 머니마켓에서는 차입자가 담보를 제공하지 않고 신용도에 따라 대출을 받는다. 2008년 금융위기 이후 금융 시스템을 강화하기 위한 새로운 규제로 인해 무담보형 머니마켓에 불리한 구조적 변화가 일어났다. 바젤 III는 상업은행이 무담보형 머니마켓에서 돈을 빌리는 것을 그만두게 했고, 머니마켓 개혁은 무담보형 머니마켓의 대출 규모를 크게 줄였다. 무담보형 머니마켓은 여전히 상당한 규모를 유지하고 있지만 그 중요성은 점차 줄어들고 있다. 이제 연준이 담보 오버나이트 기준금리(secured overnight reference rates)를 발표하고 지속적인 레포 운용을 통해 담보 오버나이트 금리를 조정하는 등, 머니마켓 시장은 점점 더 차입자와 규제 당국이 선호하는 담보형 머니마켓 시장으로 변모하고 있다.

담보형 머니마켓

Secured Money Market

담보형 머니마켓은 금융자산을 담보로 하는 단기 대출을 위한 시장이다. 채무자가 대출을 불이행하는 경우 채권자는 담보물을 자유롭게 압류하여 대출을 이행할 수 있다. 담보형 머니마켓의 가장 큰 두 부문은 레포 시장과 외환스왑 시장이다. 레포 대출은 국채, 회사채, 주택저당증권(MBS) 또는 주식과 같은 유가증권을 담보로 한다. 외환스왑 대출은 미화 1,000달러를 담보로 한 1,000 유로 대출과 같이 한 통화를 다른 통화로 담보로 하는 대출이다.

레포 거래(Repo Transaction)는 'Repurchase transaction(환매 거래)'의 줄임말로, 차입자가 채권자에게 유가증권을 '매도'하는 동시에 향후에 동일한 유가증권을 약간 높은 가격에 다시 매입하는 계약을 체결한다. 이러한 거래의 가격은 채권자에게 추가적인 안전마진을 제공하기 위해 유가증권의 시장 가치보다 낮게 책정된다. 경제적인 측면에서 보면 이는 증권을 담보로 돈을 빌리는 것과 같다. 유가증권을 다시 매입하려고 지불한 약간 높은 가격은 대출에 대한 이자와 동일하다. 파산법의 관점에서 볼 때 이러한 구조는 유리하다. 채무자가 파산 신청을 하더라도 담보가 채권자에게 사실상 매각된 것이나 다름없기 때문에 채권자는 담보를 압류할 수 있다. 만약 거래가 담보대출로 구조화되어 있다면 대출기관은 담보물을 압류하기 전에 파산 법원을 거쳐야 한다. 실제로 대부분의 레포 거래는 미국 국채나 기관 MBS와 같은 안전자산을 담보로 하는 오버나이트 대출이다.

레포 시장은 거대하며 현대 금융 시스템에 필수적이다. 데이터 수집의 한계로 인해 미국 달러 레포 시장의 규모는 정확히 알 수 없지만 약 3조 4,000억 달러로 추정된다.[60] 이 중 가장 큰 비중을 차지하는 미국 국채 담보 오버나이트 대출은 하루 약 1조 달러에 달한다.[61] 미국 달러 레포 거래는 전 세계 모든 주요 금융 센터에서 이루어지고 있다. 레포 시장은 풍부한 유동성 공급원이자 저렴한 레버리지를 제공하는 시장으로 이용되고 있다.

---

60 Baklanova, Viktoria, Adam Copeland, and Rebecca McCaughrin. "Reference Guide to U.S. Repo and Securities Lending Markets." Staff Report No. 740. Federal Reserve Bank of New York, December 2015. https://www.newyorkfed.org/medialibrary/media/research/staff_reports/sr740.pdf

61 See Federal Reserve Bank of New York. "Secured Overnight Financing Rate," https://apps.newyorkfed.org/markets/autorates/SOFR

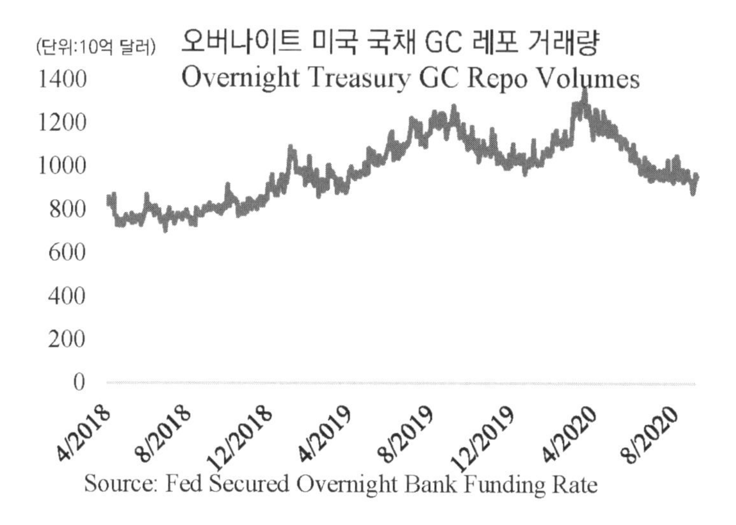

레포 시장은 미국 국채가 '화폐'가 될 수 있도록 하는 필수적인 연결고리이다. 미국 국채 시장은 세계에서 가장 유동성이 풍부한 시장이지만 1조 달러 규모의 오버나이트 레포 시장은 한 걸음 더 나아가 투자자가 보유한 국채를 사실상 비용 없이 언제든지 은행예금으로 전환한 다음, 다음날 동일한 국채를 반환해 준다. 물론 차입자는 오버나이트 레포 대출을 원하는 기간만큼 연장하거나, 만기가 긴 레포 대출을 선택할 수 있다. 이는 국채를 은행예금과 교환 가능하게 만들어 국채를 화폐로 전환함으로써 미국 재무부가 돈을 찍어낼 수 있는 힘을 부여한다.

레포 시장은 또한 저렴한 레버리지를 위한 시장이기도 하다. 투자자는 자금의 일부를 자기자본으로 투자하고 나머지는 레포 시장에서 빌려서 증권에 투기할 수 있다. 이는 투자자가 증권을 매수하는 동시에 해당 증권을 담보로 돈을 빌리는 레포 대출 계약을 체결한 다음, 레포 대출로부터 받은 돈으로 초기 증권 매입 대금을 지불할 수 있기 때문이다. 예를 들어 국채에 100달러를 투자하려는 헤지펀드는 보유금 1달러를 예치하고 레포 거래를 통해 나머지 99달러를 빌릴 수 있다. 거래 방식은 다음과 같다:

1단계: 헤지펀드 A가 헤지펀드 B로부터 100달러의 미국 국채를 매입한다.

2단계: 동시에 헤지펀드 A는 딜러와 레포 거래를 체결하여 100달러의 국채를 99달러에 매도하고, 매도한 국채를 내일 99.01달러에 다시 매수하기로 합의한다(0.01달러는 오버나이트 대출에 대한 이자이다). 딜러가 담보 가치의 변동으로부터 자신을 보호하기 위해 약간의 가격 인하를 요구할 것이므로 헤지펀드 A는 국채를 100달러 전액에 매도할 수 없다. 이 경우 딜러는 국채를 매우 우량한 담보 자산으로 간주하고 1%의 '헤어컷(haircut)'[62]만 원한다.

3단계: 헤지펀드 A는 딜러로부터 받은 99달러에 보유 자금 1달러를 더해 헤지펀드 B에게 100달러를 지급한다. 따라서 헤지펀드 A는 자기 돈 1달러로 100달러의 국채를 매수할 수 있게 된다.

4단계: 다음날 헤지펀드 A는 딜러로부터 100달러의 국채를 99.01달러에 다시 매입해야 한다. 여기서 0.01달러는 오버나이트 대출에 부과되는 이자이다. 헤지펀드 A는 대출을 갱신하거나, 시장에서 국채를 100달러에 매도하고 그 수익금으로 딜러에게 99.01달러를 지불하여 거래를 종료할 수 있다.

---

62 금융상품의 가치를 현재가치에 맞게 재조정하는 것을 말한다.

실제로 레포 대출을 통해 레버리지를 원하는 차입자는 몇 가지 일반적인 전략을 사용할 수 있다. 매입한 증권의 가치가 상승하기를 바라거나, 레포 대출의 이자 비용을 초과하는 이자를 매입한 증권으로부터 얻거나, 포트폴리오의 일부분에 대한 헤지로 레포 대출을 활용하거나, 차익거래 전략의 일부로 증권을 사용할 수 있다. 어떤 경우든 차입자는 레포 시장을 통해 적은 자금으로 대규모 포지션을 취할 수 있는 것이다.

레포 시장의 현금 차입자는 주로 다른 딜러로부터 돈을 빌리는 프라이머리딜러이거나 투자 펀드이다. 일반적으로 머니마켓펀드는 딜러에게 돈을 빌려주고, 딜러는 빌린 돈을 자신의 증권 재고를 조달하는 데 사용하거나, 헤지펀드 고객에게 다시 대출을 제공하는 중개자 역할을 한다.

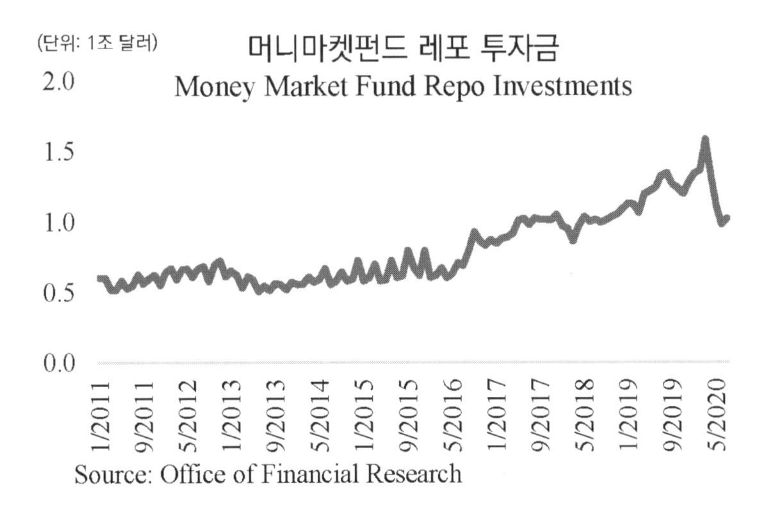

레포 시장의 주요 대출 제공 기관은 머니마켓펀드로 매일 약 1조 달러의 대출을 제공한다. 머니마켓펀드가 레포 시장에 몰리는 이유는 유동성과 보안성을 중시하기 때문이다. 레포 대출의 만기가 짧아 머니마켓펀드는 투자자의 상환을 쉽게 맞출 수 있고, 담보물의 퀄리티가 높기 때문에 디폴트에 대한 걱정 없이 대출을 실행할 수 있다. 따라서 머니마켓펀드는 사실상 무위험으로 자금을 예치하고 이자를 받을 수 있으며, 투자자의 인출이 발생하더라도 자금을 회수할 수 있다.

최근 몇 년 동안 연준은 레포 및 역레포 창구를 통해 레포 시장에서 적극적인 대출 기관이자 차입자가 되었다. 이 두 창구는 연준이 레포금리를 통제하는 데 사용된다. 연준의 역레포 매입은 머니마켓펀드에 정해진 이자율로 자금을 예치할 수 있는 장소를 제공한다. 이는 머니마켓펀드에 딜러에 대한 강력한 협상력을 제공하여 연준이 레포금리의 하한선을 유지하는데 도움이 된다. 연준의 레포 창구도 비슷한 목적을 가지고 있는데, 레포금리가 지나치게 상승하는 것을 방지하는 역할을 한다. 레포 창구는 프라이머리딜러에게 정해진 금리로 사실상 무제한의 레포 대출을 제공하며, 이는 레포금리에 대한 '소프트-씰링(soft-ceiling)'[63] 역할을 한다. 머니마켓펀드가 연준의 레포 창구 금리보다 높은 금리를 요구하면 딜러는 대신 연준에서 돈을 빌릴 수 있다. 역레포금리와 레포금리 사이의 스프레드는 일반적으로 몇 퍼센트에 불과하다.

63 절대적이지 않은 상한선, 연준이 정한 금리가 있지만 절대적인 상한이 아니라는 것을 뜻한다.

레포 시장 자세히 알아보기
Deep Dive into the Repo Market

레포 시장은 대부분의 사람들이 들어본 적 없는 가장 크고 중요한 시장이다. 시장 규모는 약 3조 4,000억 달러이며 크게 3자간 거래 시장(tri-party), 미청산 양자간 거래 시장(uncleared bilateral), 청산 FICC 거래 시장(cleared FICC) 이렇게 세 가지 부문으로 구성되어 있다.[64]

3자간 거래 레포 시장은 청산 은행의 레포 플랫폼에서 이루어지는 거래를 말하며, 청산 은행은 담보 평가, 증권 보관, 지급 정산 등 레포 거래의 백오피스 업무를 수행한다. 3자간 레포 거래의 현금 대출 기관은 담보 수락에 대한 특별한 제한이 없다. 예를 들어, 대출 기관은 국채 담보에 대하여 모든 만기의 국채 담보(이를 '일반담보'라고 함)를 수락할 수 있다. 미국에서는 뉴욕 멜론 은행(Bank of New York Mellon)이 유일한 3자간 거래 플랫폼으로 운영되고 있다. 3자간 거래는 기본적으로 사용자 친화적인 레포 거래 수행 방식이다. 따라서 머니마켓펀드나 기업 재무팀 같은 현금 대출 기관의 레포 거래는 대부분 3자간 거래 플랫폼에서 이루어진다. 3자간 거래 플랫폼의 현금 차입자는 재고 증권(inventory securities)[65]에 자금을 조달하거나 헤지펀드 고객에게 대출을 제공하기 위해 현금을 빌리는 딜러인 경우가 많다. 뉴욕 연준의 데이터에 따르면

---

64 네 번째 부문인 일반담보시장(GCF)은 최근 몇 년 동안 크게 축소되어 약 1,000억 달러에 불과하다. GCF는 3자간 거래로 결제되는 딜러 간 시장(interdealer market)이다.

65 금융기관이 거래 목적으로 포트폴리오에 보유하는 증권을 말한다.

3자간 거래 레포 시장의 규모는 약 2조 2,000억 달러이다.[66]

청산 FICC 레포 거래 시장(Cleared FICC repo)은 중앙 청산소인 채권 청산공사(Fixed Income Clearing Corporation, 줄여서 FICC)에 의해 청산되는 거래를 말한다. 청산 FICC 레포 시장은 딜러 간 시장이므로 모든 거래는 딜러 간에 이루어진다. 예를 들어 현금을 빌려주는 딜러는 최근에 발행된 미국 국채만 원한다고 명시할 수 있다. '중앙 청산(centrally cleared)'이란 두 딜러가 레포 거래에 합의하면 해당 거래를 FICC에 제출하고, FICC가 거래의 다른 쪽을 각 딜러에게 가져가는 것을 의미한다. 만약 딜러 A가 국채를 담보로 딜러 B로부터 100달러를 빌리는 데 동의하면, '경개(novation)'[67]라는 계약 갱신 과정을 통해 FICC가 각 딜러의 거래상대방이 된다. 거래가 끝나면 딜러 A는 FICC에서 100달러의 돈을 빌리고, 딜러 B는 FICC에 대출을 제공하게 된다. 이렇게 하면 FICC가 우량 거래처로 간주되므로 거래상대방 리스크(counterparty risk)가 감소한다. 또한 모든 FICC 레포 거래는 궁극적으로 FICC를 거래상대방으로 삼기 때문에 FICC 레포 거래에서 차입과 대출을 서로 상계할 수 있다. 이는 딜러의 대차대조표 규모를 줄여 규제 지표(regulatory metrics)[68]에 도움이 된다. FICC 레포 거래 시장 규모는 1조

---

66 For the latest data, see Federal Reserve Bank of New York. "Tri-Party/GCF Repo," https://www.newyorkfed.org/data-and-statistics/data-visualization/tri-party-repo

67 금융 계약 갱신의 한 형태로 거래 당사자가 계약을 종료하고 새로운 거래 참여자에 원래 계약에 명시된 권리와 의무를 이전하는 것을 말한다.

68 금융 기관과 시장이 규제 요건 준수 여부를 평가하는 데 사용하는 다양한 측정 기준과 지표

달러가 조금 넘는 것으로 추정된다.

미청산 양자간 거래는 3자 플랫폼의 도움 없이 이루어지는 레포 거래를 말하며, FICC에 신고되지 않은 거래를 말한다. 일반적으로 이러한 거래는 딜러와 3자간 거래 플랫폼의 기준을 충족하지 못하는 소규모 대출기관 또는 3자간 거래 플랫폼에서 제공되는 조건보다 더 유연한 조건을 협상할 수 있는 대형 대출 기관 간에 이루어진다. 이 시장 부문에 대한 공식적인 데이터는 없다.

또 다른 주요 담보형 머니마켓은 외화 대출 시장인 외환스왑 시장(FX-swap market)이다. 외환스왑 거래는 레포 거래와 비슷하지만 증권 대신 외화를 담보로 사용한다. 예를 들어 3개월 유로-미국 달러 외환스왑은 미국 달러를 담보로 유로를 빌리는 것이다. 달러를 담보로 하는 쪽은 3개월 리보(3M LIBOR)와 같은 달러 금리를 지불하고 유로를 담보로 하는 쪽으로부터 3개월 유로리보(3M Euribor)와 같은 유로 이자율을 받게 된다.[69] 외환스왑을 통해 투자자는 외화를 확보하고, 투자 수익이 쉽게 사라질 수 있는 환리스크를 헤지할 수 있다.

외환스왑 시장은 일일 거래량이 약 3조 2,000억 달러로 추정되는 거

---

69 정확히 말하자면 차입자는 외화를 매수하기 위해 현물 외환 거래를 체결하는 동시에 해당 외화를 매도하기 위해 선물환 거래를 체결한다. 선물환 금리는 이자율 차이와 베이시스를 고려한다. 밀접하게 관련된 상품인 외환 베이시스 스왑에서는 두 당사자가 통화 금액을 교환하고 베이시스(있는 경우)를 포함한 지속적인 이자를 서로에게 지급한 다음 거래가 종료되면 동일한 통화 금액을 반환한다. 외환스왑과 외환 베이시스 스왑은 경제적으로 동등하다.

대한 시장이다.[70] 이러한 거래의 대부분은 미국 달러가 거래의 한 부분으로 사용된다. 이는 외국 기업과 외국인 투자자 모두에게서 수요가 높은 미국 달러가 전 세계에서 차지하는 중요한 역할을 반영한다. 외국 기업은 해외 무역을 수행하기 위해 달러가 필요하고, 외국인 투자자는 미국 자산에 투자하기 위해 달러가 필요하다. 외환스왑 시장에서 미국 달러를 빌려주는 사람은 미국내 상업은행, 해외 자산에 투자하려는 미국 투자자 또는 달러 보유고에 대한 수익을 얻고자 하는 외국 중앙은행이다.

최근 몇 년 동안 미국의 금리는 다른 개발도상국보다 높았다. 일본과 유로존이 정책금리를 마이너스로 전환하는 동안 미국의 금리는 플러스를 유지했다. 마이너스 금리로 인해 일본과 유로존 투자자들은 투자가 어려워졌고, 많은 투자자들이 자국 밖에서 수익을 찾게 되었다. 그러나 해외 투자는 환리스크가 헤지된 경우에만 의미가 있다. 예를 들어 미국 국채의 수익률이 일본 국채보다 2% 더 높다고 가정해 보자. 금리로 따지면 2%는 큰 차이지만, 엔/달러 환율이 2% 변동하는 것은 비교적 자주 발생한다. 따라서 일본 투자자는 미국 국채에서 더 높은 수익을 얻을 수 있지만, 엔화가 갑자기 강세를 보이면 모든 것을 쉽게 잃을 수 있다. 일본 투자자는 외환스왑을 통해 환리스크를 헤지할 수 있지만 항상 합리적인 가격에 헤지가 가능한 것은 아니다. 외국인 투자자는 일반적으로 달러 금리를 지불하는 것 외에도 '베이시스(basis)'를 지불해야 한다.

---

70 "Triennial Central Bank Survey of Foreign Exchange and Over-the-Counter (OTC) Derivatives Markets in 2019." BIS, 2019. https://www.bis.org/statistics/rpfx19.htm.

외환스왑 시장은 다른 시장과 마찬가지로 수요와 공급의 역학관계가 적용되며 이러한 역학관계는 외환스왑의 '베이시스'로 표현된다. 위의 예에서 엔화보다 달러에 대한 시장 수요가 더 많으면 엔화 대출 기관은 달러 대출 기관을 유인하기 위해 3개월 USD LIBOR(3개월물 달러 리보금리) 이상을 제시해야 한다. '베이시스'라는 이 추가 이자는 시장에 의해 결정되며 달러에 대한 글로벌 수요를 나타내는 좋은 지표가 된다. 미국 달러 자산에 투자하려는 외국인 투자자는 일반적으로 환헤지 비용을 고려한 후의 수익률을 살펴보는데, 이 금액은 수익률이 높은 미국 달러 투자에 매력을 느끼지 못할 정도로 클 수 있다. 엔화 대출 기관은 달러 대출에 대해 달러 이자를 지불하고, 빌려준 엔화에 대해 엔화 이자를 받게 된다는 점에 유의 해야 한다. 일본과 같은 마이너스 이자 국가에서는 엔화 대출 기관이 엔화 대출에 대해 마이너스 이자를 받게 되므로 달러 대출과 엔화 대출 모두에 대해 이자를 지불하게 된다. 일반적으로 미국 달러와 다른 주요 통화를 포함한 주요 통화쌍(Major currency pairs)의 외환스왑 베이시스는 1% 미만이다. 하지만 시장에서 스트레스가 심할 때는 훨씬 더 높아질 수 있다. 예를 들어 2020년 코로나19 패닉 기간 동안 달러 수요로 인해 베이시스가 약 1.5%까지 올랐고, 달러를 빌린 투자자는 3개월 USD LIBOR에 1.5%를 더한 금액을 지불해야 했다.

2008년 금융위기와 2020년 코로나19 패닉 기간 동안 주요 달러 크로스(major dollar crosses)[71]에 대한 외환스왑 베이시스는 몇 주 만에 몇 퍼센트에서 몇 배로 폭등했다.[72] 이는 달러 차입자가 파격적인 금리를 제시하지 않으면 달러를 빌릴 수 없기 때문에 미국 달러 자금 조달 시장에 상당한 스트레스가 발생했음을 뜻한다. 미국 달러 보유자들이 시장 혼란 속에서 달러를 보존하고 위험을 줄이기 위해 외환스왑 대출을 회수하면 이러한 일이 발생할 수 있다. 달러 대출 기관이 외환스왑 대출을 회수하면, 외환스왑 시장에서 단기적으로 달러를 빌려 장기 미국 달러 자산을 매입한 외국인 투자자는 해당 자산을 헐값에 매각해야 될지도 모른다.

---

71 미국 달러가 거래되는 외환 시장의 주요 통화쌍을 의미한다. 이 쌍의 양쪽에 미국 달러가 포함되어 있지 않음을 나타낸다. 대신 쌍의 한 쪽은 미국 달러로 구성되고 다른 쪽은 미국 달러 이외의 주요 통화를 포함한다.

72 Coffey, Niall, Warren B Hrung, Hoai-Luu Nguyen, and Asani Sarkar. "The Global Financial Crisis and Offshore Dollar Markets." Federal Reserve Bank of New York Cur-rent Issues in Economics and Finance 15, no. 6 (2009). https://www.newyork-fed.org/research/current_is-sues/ci15-6.html

미국 달러 대출 사업을 영위하고 외환스왑 시장을 통해 환리스크를 관리하는 외국 은행은 매우 높은 이자율로 외환스왑 대출을 롤오버 해야 할 수 있으며, 이로 인해 상당한 자본 손실이 발생하여 대출 활동을 축소해야 할 수 있다. 이 모든 일이 금융시장에 상당한 스트레스를 유발한다.

두 번의 위기 모두 연준이 개입하여 다른 주요 중앙은행들과 외환스왑 거래를 체결하겠다고 제안했을 때만 외환스왑 시장이 진정되었다. 연준이 외국 중앙은행 준비금을 담보로 외국 중앙은행에 달러를 빌려주고, 외국 중앙은행은 해당 달러를 관할권 내 은행에 빌려주는 것이다. 이러한 조치는 두 번의 위기 동안 외환스왑 시장을 진정시키는 데 효과적이었지만 수천억 달러의 긴급 스왑 대출(emergency swap loan)이 필요했다.

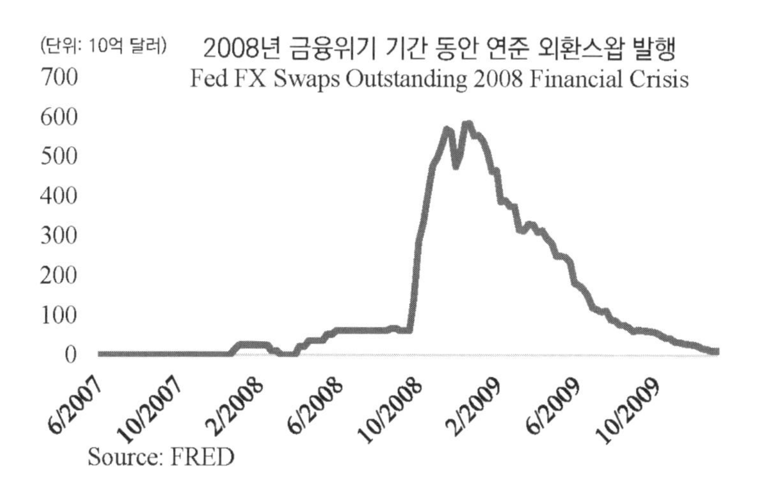

글로벌 머니마켓
Money Markets are Global

전문 투자자들은 머니마켓을 최고의 수익을 찾기 위해 전 세계를 자유롭게 이동할 수 있는 글로벌 시장으로 간주하는 경우가 많다. 이들은 환헤지비용(FX hedging costs)을 고려하여 전 세계 머니마켓 상품이 제공하는 이자율을 살펴본다. 예를 들어, 유로존 국채가 0% 미만의 금리로 단기 채권을 발행하더라도 미국에 기반을 둔 투자자는 환헤지비용을 고려하면 단기 미국 국채의 플러스 수익률보다 유로존 국채가 더 매력적일 수 있다.

2019년 12월 시장금리 Market Pricing in December 2019	
3개월 만기 미국 국채 (3M U.S. Treasury Bill)	1.5%
3개월 만기 프랑스 국채 (3M French Bill)	-0.6%
3개월 EUR 리보 (3M EUR LIBOR)	-0.4%
3개월 USD 리보 (3M USD LIBOR)	1.9%
3개월 EUR/USD 외환스왑 베이시스 (3M EUR/USD FX-swap basis)	0.2%

2019년 말 3개월 만기 프랑스 국채수익률은 마이너스 0.6%인 반면, 3개월 만기 미국 국채수익률은 1.5%였다. 겉으로 보기에 미국 투자자는 3개월 만기 프랑스 국채보다 3개월 만기 미국 국채에 투자하는 것이 훨씬 더 많은 수익을 올릴 수 있다.(1.5% vs 마이너스 0.6%) 하지만 환헤지 기준(FX hedged basis)으로는 그렇지 않았다. 투자자가 달러를 유로로 스왑한 다음, 3개월 만기 프랑스 국채에 투자했다면, 달러를 빌려준 대

가로 3개월 USD 리보 수익률을 얻고, 유로에 대해 3개월 EUR 리보 마이너스 수익률을 지불하고(즉, 플러스 이자를 받는다는 의미), 외환스왑 베이시스를 얻겠지만, 프랑스 국채의 마이너스 수익률에서 0.6% 손실을 입었을 것이다. 전체적으로 1.9% (1.9% + 0.4% + 0.2% - 0.6% = 1.9%)의 수익을 얻게 되며, 이는 3개월 만기 미국 국채보다 0.4% 더 많은 수익이다.

머니마켓은 글로벌이기 때문에 국내 금리에만 초점을 맞추는 것은 오해의 소지가 있다. 한 국가의 금리 변동은 차익거래를 통해 자동으로 다른 국가의 금리에 영향을 미친다. 투자자의 정교함과 위험 감수 수준이 다르기 때문에 모든 투자자가 차익거래에 참여할 수 있는 것은 아니므로 기회는 계속 존재한다.

무담보형 머니마켓

Unsecured Money Market

무담보형 머니마켓은 상환 약속이 차입자에 대한 신뢰 외에는 아무것도 뒷받침되지 않는 단기 대출 시장이다. 이러한 대출은 위험이 높기 때문에 담보대출보다 높은 이자율을 제공하는 경향이 있다. 담보대출 기관은 대출을 뒷받침하는 담보의 퀄리티에 따라 대출을 제공하는 반면, 무담보대출 기관은 차입자의 신용도를 결정하기 위해 신용평가기관에 크게 의존한다. 일반적인 무담보형 머니마켓 상품에는 예금증서(certificates of deposit), 기업어음(commercial paper), 연방자금(federal funds) 등이 있다. 2008년 금융위기 이후, 무담보형 머니마켓은 규제로 인해 은행이 대출을 하지 못하게 되면서 그 중요성이 줄어들었다.

2008년 금융위기 이전에는 상업은행이 무담보형 머니마켓의 주요 참여자였다. 잘 알려진 기준금리인 3개월 리보(LIBOR)는 사실 상업은행이 3개월 동안 무담보로 달러를 빌릴 때 지불하는 기준금리였다. 무담보형 머니마켓에서 돈을 빌리는 것은 상업은행이 예금 유출에 대한 걱정 없이 대출 포트폴리오를 확장할 수 있는 쉬운 방법이다. 상업은행이 대출 포트폴리오를 공격적으로 확장할 경우, 새로 생성된 예금은 차입자가 소비하고 결국 다른 상업은행에 예치하기 때문에 예금 순유출이 발생하는 경우가 많다. 이 경우 상업은행은 손실된 예금을 대체하기 위하여 담보 없이도 무담보형 머니마켓에서 돈을 빌릴 수 있는 것이다.

무담보형 머니마켓에서 가장 큰 비중을 차지하는 것은 양도성예금증서(Certificate of Deposit, 줄여서 CD)로, 기본적으로 미리 설정한 만기일에 도달할 때까지 인출할 수 없는 예금이다. CD에 대한 데이터는 공개되어 있지 않지만, 연준 이사회 자료에 따르면 2020년 상업은행의 정기예금(time deposit) 규모는 약 1조 6,000억 달러였다. 정기예금은 CD를 포함하는 약간 더 넓은 범주의 은행 부채이다. 이러한 예금은 은행이 자금 유출을 관리할 수 있고 예금자에게는 경쟁력 있는 이자율을 얻을 수 있는 수단을 제공한다. 미국내 상업은행과는 달리 소매예금 기반 부족한 외국계 은행이 CD를 가장 많이 발행하는 경향이 있다. 소매예금은 언제든지 인출될 수 있지만, 실제로는 은행에 그냥 두는 경우가 많다. 미국내 은행은 예금의 대부분이 안정적인 소매예금이기 때문에 예금 유출을 보다 쉽게 관리할 수 있다. 반면 외국계 은행은 소매 영업을 하지 않기 때문에

CD에 의존해야 하며, 예금자는 CD의 만기까지 발행 은행에 예금을 보관할 계약상 의무가 있다.

CD 투자자는 금리에 매우 민감한 경향이 있다. 이러한 투자자들은 단 몇 퍼센트의 금리 차이에도 신속히 자금을 다른 은행으로 옮긴다. CD의 가장 큰 투자자는 프라임 머니마켓펀드로, 여러 상업은행에서 발행한 CD에 투자하여 신용 위험을 분산한다. CD는 무담보 금융상품이기 때문에 많은 투자자들이 단일 은행의 CD에 거액을 투자하는 것을 피한다. 대신 투자자는 프라임 머니마켓펀드에 투자하여 펀드의 분산 효과 혜택을 누릴 수 있다.

또 다른 일반적인 무담보형 머니마켓 상품은 기업어음(Commercial paper, 줄여서 CP)이다. CD는 법적으로 예금이므로 상업은행에서만 발행할 수 있는 반면, CP는 예금이 아닌 단기 무담보 채무이므로 모든 기관에서 발행할 수 있다. 금융기관이 발행한 CP를 금융 CP(Financial CP)라 하며, 보험사, 은행 지주회사, 딜러, 및 전문 금융기관 등이 일반적인 금융 CP의 발행자들이다. 많은 비금융 기업들도 공급업체 결제, 급여 지급, 재고 관리 등 운전자본 관리를 위해 CP를 적극적으로 발행한다. 비금융 CP(Non-financial CP)는 무담보형 머니마켓에서 상대적으로 적은 비중을 차지한다. 따라서 비금융 CP를 발행하는 회사는 신용등급이 비슷함에도 불구하고 금융 CP를 발행한 회사보다 약간 낮은 금리로 돈을 빌릴 수 있다. 비금융 CP 투자자는 금융 CP로부터 벗어나 포트폴리오를 분산하기 위해 다소 낮은 수익률을 기꺼이 받아들인다. CP의 주요 투자자는 CD와 마찬가지로 프라임 머니마켓펀드이다.

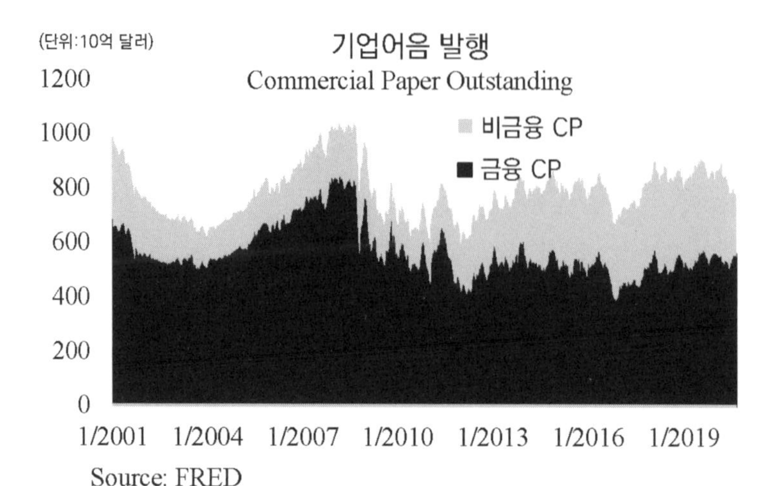

2016년 머니마켓 개혁
Money Market Reform 2016

2016년 10월 14일, 오랫동안 기다려온 몇 가지 머니마켓 개혁이 시행되면서 머니마켓 세계에 강력한 지진이 일어났다. 2014년 SEC가 처음 발표한 이 개혁은 금융위기 당시 일부 프라임 머니마켓펀드의 실패를 계기로 머니마켓펀드를 더 안전하게 만들기 위해 고안되었다. 주요 변경 사항 중 하나는 시장 스트레스 상황에서 프라임 머니마켓펀드에 상환을 동결할 수 있는 옵션을 부여하는 것이었다. 이는 대규모 투자자 이탈로 인해 펀드가 자산을 헐값에 청산하여 투자자 손실을 초래하는 프라임 머니마켓펀드의 런을 방지하기 위해 고안되었다.

프라임 머니마켓펀드 투자자들은 돈이 필요할 때 프라임 머니마켓펀드에서 자금이 동결되는 것을 두려워했다. 프라임 머니마켓펀드의 많은 투자자들은 다른 사람의 돈을 관리하는 기관투자자이다. 이러한 기관투자자들이 프라임 머니마켓펀드에 투자한 자금을 회수하지 못하면, 그들 자신의 상환 의무를 충족하는데 필요한 현금이 부족할 수 있다. 이러한 가능성은 많은 기관투자자들에게 너무 두려운 일이었고, 그들은 프라임 머니마켓펀드에서 '환매 게이트(redemption gate)' 기능[73]이 없는 정부 펀드로 한꺼번에 자금을 옮기기로 결정했다. 2016년 10월 14일 시행일이 다가오자 프라임 머니마켓펀드는 몇 주 동안 1조 달러의 기록적인 자산 손실을 입었다.

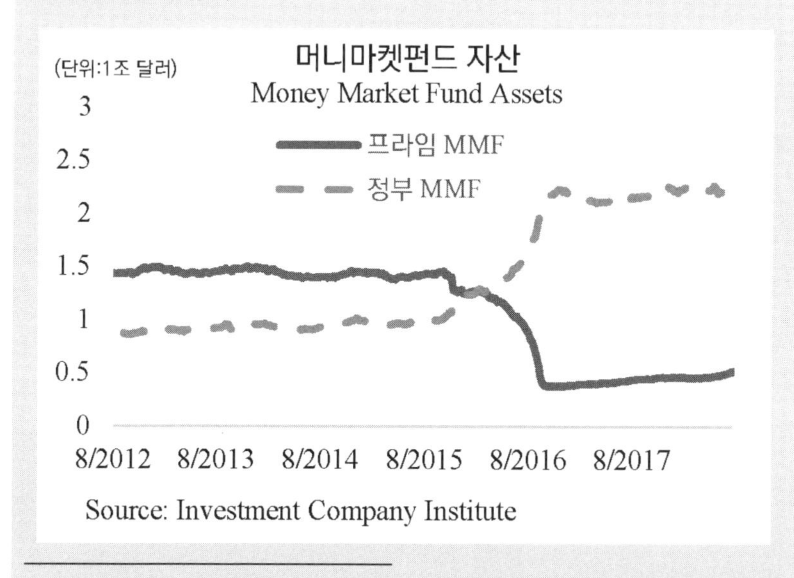

73 머니마켓펀드가 금융 스트레스나 시장 불안정 시점에 환매를 일시적으로 중단하거나 제한할 수 있는 도구이며 프라임 머니마켓펀드의 안정성을 높이기 위한 규제 대응책이다. 이 기능은 2016년 10월 14일부터 시행된 머니마켓 개혁의 일환으로 도입된 변경 사항 중 하나이다.

정부 머니마켓펀드는 담보가 없는 민간 부문 부채에 투자할 수 없기 때문에 프라임 머니마켓펀드가 무담보형 머니마켓의 주요 투자자였다. 이는 몇 주 동안 무담보형 머니마켓에 의존했던 차입자들이 1조 달러에 가까운 자금을 잃게 된다는 것을 의미했다. 무담보형 머니마켓에서 가장 큰 차입자는 외국계 은행이었다. 10월에 접어들면서 외국계 은행들이 남은 프라임 머니마켓펀드 투자금을 유치하기 위해 경쟁하면서, 3개월 리보 금리는 수년 만에 최고치로 치솟았다. 반면에 정부 머니마켓펀드는 자금이 넘쳐났고 투자할 곳이 없어 연준의 역레포 창구에 수천억 달러를 투입할 수밖에 없었다.

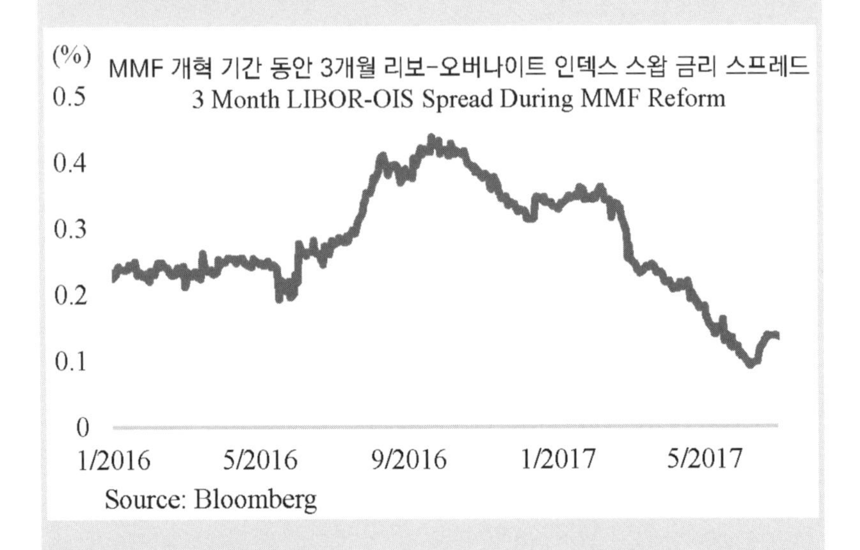

머니마켓 개혁은 무담보형 머니마켓에 혼란을 가져왔지만 시장은 곧 안정되었다. 그 후 몇 달 동안 은행 부문은 차입 방식을 조정하여 자금 출처의 급격한 변화에 적응할 수 있었다. CD를 발행해 자금을 조달하는 데 익숙했던 외국계 은행들은 이제 레포 시장을 통해 정부 자금에서 돈을 빌리는 방식으로 전환했다. 정부 자금은 국채 또는 기관 MBS를 담보로 하는 경우 레포 시장에서 대출 제공이 가능하다. 본질적으로 은행 부문은 대규모 무담보대출에서 국채 또는 기관 MBS를 담보로 사용하는 대규모 담보대출로 재편되었다.

가장 잘 알려진 무담보형 머니마켓은 연준이 정책금리를 설정하는 연방자금시장(federal funds market)이다. 연방자금시장은 상업은행이 서로의 준비금을 하룻밤 사이에 무담보로 빌리는 은행 간 시장이다. 과거 상업은행은 하루가 끝날 때 지급준비금 요건을 충족시키거나, 일일 지급 수요를 충족할 수 있는 충분한 준비금을 확보하기 위해 연방자금시장에서 돈을 빌렸다. 어떤 의미에서 이는 상업은행의 자금 조달 한계 비용이다. 연준은 연방기금금리를 인상하거나 인하하여 장기금리와 은행 대출 활동에 영향을 미치기를 기대했다.

연준이 연방자금시장을 통제할 수 있었던 것은 은행 시스템의 지급준비금 공급을 완전히 통제할 수 있었고 지급준비금 수요를 잘 파악하고 있었기 때문이다. 준비금에 대한 수요는 상업은행의 규모와 부채의 유형에 따라 상업은행이 일정 수준의 준비금을 보유하도록 강제하는 규제 프레임워크에서 비롯되었다. 연준은 상업은행 시스템 전체에 필요한 준비금 규모를 정확히 파악하고 준비금 공급을 조정하여 지급준비율이 목표 범위 내에서 유지되도록 했다. 5장에서 설명한 것처럼 연준은 이제 새로운 프레임워크로 연방기금금리를 통제한다.

무담보 시장이 여전히 상당한 규모를 유지하고 있지만 금융위기 이전보다는 훨씬 작아졌다. 근본적으로 금융위기는 은행 부문의 위기였으며, 이러한 경험으로 인해 은행을 포함한 많은 시장 참여자는 은행에 대한 무담보 자산의 위험에 대한 노출을 경계하게 되었다. 규제 당국도 은행이 무담보형 머니마켓에서 돈을 빌리는 것을 매력적이지 않게 만드는 규칙을 마련했다. 그 결과 은행 간 무담보형 머니마켓은 사실상 사라졌다. 무담보형 머니마켓에 남은 것은 주로 비은행 간 시장이며, 이 역시 머니마켓 개혁으로 인해 크게 축소되었다.

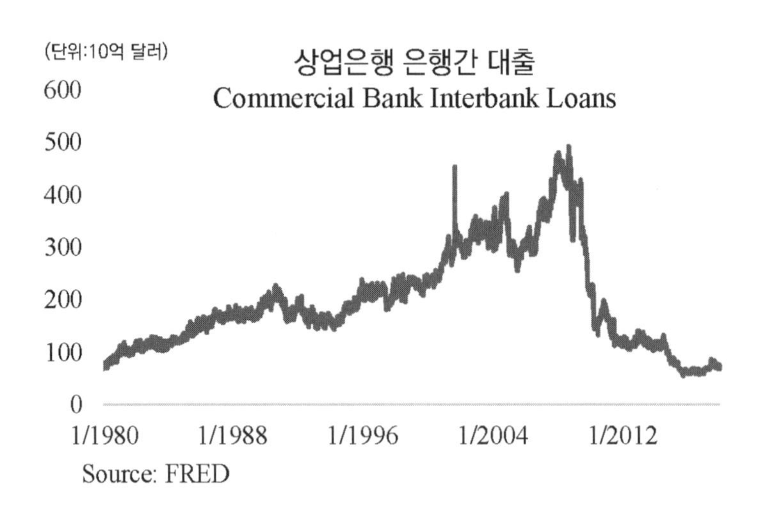

연방자금시장의 종말
The Death of the Federal Funds Market

연방자금시장은 연준이 정책금리를 설정하는 곳으로 남아있지만 수년 전에 이미 사라졌다. 2008년 금융위기 이전에는 매일 수천억 달러의 자금이 거래되는 등 연방자금시장이 활발하고 역동적이었다. 상업은행들은 하루 종일 유동성 포지션을 조정하면서 자금을 빌리고 빌려주었다. 연방기금금리는 역동적인 시장 상황을 반영하기 때문에 상대적으로 변동성이 컸다. 부분적인 이유는 2016년 3월 이전에는 연방기금금리가 가중 평균이었지만 이후에는 중앙값이었기 때문이다.

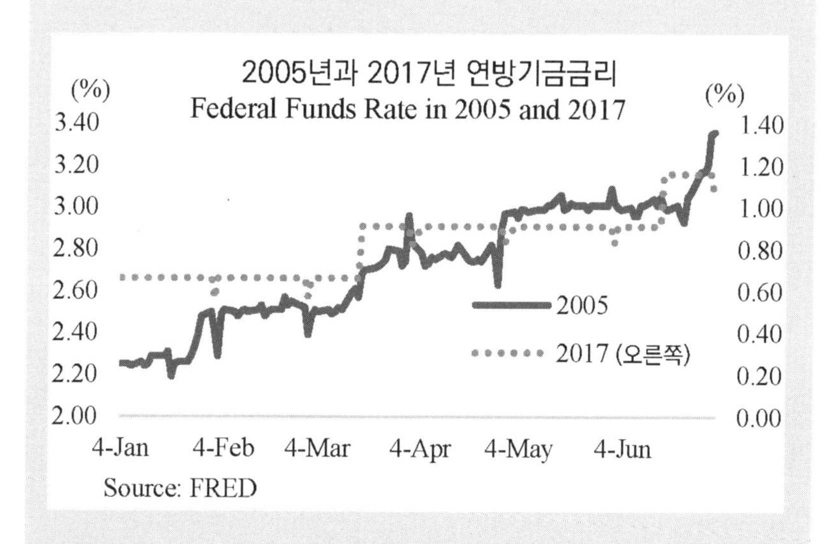

금융위기 이후 연방기금금리는 평평한 선을 나타내는 심전도계처럼 매일 변동이 없다. 이는 양적완화와 바젤 III라는 두 가지 이유 때문이다. 양적완화로 인해 은행 시스템의 중앙은행 준비금 수준이 약 200억 달러에서 수조 달러로 크게 증가했다. 상업은행은 이미 많은 준비금을 보유하고 있기 때문에 연방자금시장에서 돈을 빌릴 이유가 훨씬 줄어들었다. 게다가 바젤 III는 은행 간 대출의 매력을 떨어뜨렸다. 위기가 닥치면 이러한 대출이 가장 먼저 사라지고 은행은 현금을 확보하기 위해 사투를 벌인다. 따라서 바젤 III는 상업은행이 무담보형 오버나이트 대출을 줄이도록 장려하여 은행의 안전성을 높이는 것을 목표로 한다.

현재의 연방자금시장은 규제의 특이한 점 때문에 인해 존재한다. 연방주택대출은행(Federal Home Loan Banks, 줄여서 FHLB)은 연준에 준비금 계좌를 가지고 있지만 준비금에 대한 이자를 받을 자격이 없다. 준비금에 대한 이자를 조금이라도 벌기 위해 FHLB는 연방자금시장에 대출을 제공한다. 미국내 은행에 비해 규제가 덜한 일부 외국 은행은 지급준비율에 대한 이자를 얻기 위해 FHLB에서 돈을 빌린 후, 해당 자금을 연준 계좌에 예치한다. 따라서 이들은 차입 금리와 연준의 지급준비율 이자 사이의 작은 스프레드를 얻게 된다.

연방자금시장이 자금 조달 상황에 대한 신호로써 중요성을 크게 상실함에 따라 연준은 목표 금리를 다른 기준금리로 전환할 가능성이 높다. '담보형 오버나이트 자금조달금리(Secured Overnight Funding Rate, 줄여서 SOFR)'는 연준의 새로운 기준금리 중 하나가 될 수 있다. SOFR은 미국 국채를 담보로 돈을 빌려주는 오버나이트 레포 거래를 기반으로 한다. SOFR은 시장 참여자의 범위가 넓고 약 1조 달러 규모의 시장을 포착하므로 실제 자금 조달 시장 상황을 훨씬 더 잘 반영할 수 있다. 또한 연준은 이미 역레포(Reverse Repo) 또는 레포(Repo) 창구를 통해 오버나이트 레포 시장을 잘 통제하고 있다.

7장 자본시장

CHAPTER 7 Capital Markets

자본시장은 차입자가 상업은행이 아닌 투자자로부터 돈을 빌리는 곳이다. 대출의 만기는 보통 몇 년 동안의 기간에 이루어 지며, 이러한 대출은 머니마켓(단기금융시장)에 해당하지 않는다. 자본시장에서의 자금 조달은 금융 시스템 내 은행예금 규모를 늘리지 않고 은행예금 보유자가 다른 비은행 기관에 예금을 빌려줄 수 있도록 허용한다는 점에서 상업은행 대출과 다르다.[74] 어떤 의미에서는 가장 돈을 잘 활용할 수 있는 차입자에게 자금을 할당하여 기존 자금을 보다 효율적으로 사용할 수 있도록 한다. 자본시장은 크게 주식시장과 채권시장으로 나뉜다. 주식시장은 기업이 자산의 소유권을 은행예금과 교환하는 곳이다. 채권시장은 차입자가 '차용증서'를 은행예금과 교환하는 곳으로, 빌린 돈은 합의된 날짜에 이자와 함께 상환된다.

---

74 상업은행도 자본시장에 참여할 수 있지만 주요 참여자는 아니다. 상업은행은 자본시장에서 대출을 하는 경우 자산을 대차대조표에 기재하고, 차입자의 은행 계좌에 은행예금을 입금한다. 이는 은행 대출과 동일하다. 때때로 상업은행은 자신의 명의로 주식 또는 채권을 발행하며 은행예금 중 일부를 자기자본 또는 부채로 변환함으로써 본질적으로 은행예금 총액을 줄어들게 만든다. 따라서 상업은행이 자본 시장에서 돈을 빌리면 은행 시스템의 통화량이 감소한다.

주식시장
Equity Markets

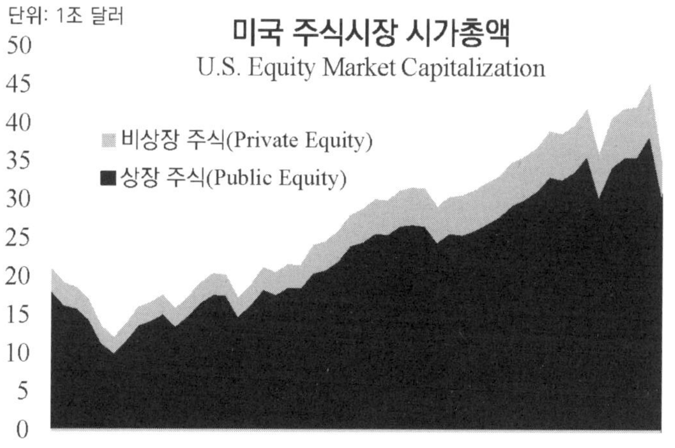

주식시장은 대중의 관심을 가장 많이 받는 금융시장이다. 다우존스와 같은 주요 주가지수는 뉴스에서 자주 언급되며, 경제 전반의 건전성을 나타내는 지표로 여겨지기도 한다. 하지만 실제로 주식시장은 가장 감정적인 시장이며 경제 상황을 가장 잘 반영하지 못하는 시장이다. 이를 쉽게 알 수 있는 방법은 기초 경제지표가 크게 변하지 않았는데도 주식시장이 상승세를 타다가 단기간에 폭락하는 과열 현상이 얼마나 자주 발생하는지 보면 알 수 있다.

시장 참여자는 일반적으로 펀더멘털 또는 상대적 가치를 기준으로 주식을 평가하려고 하는 경우가 많다. 펀더멘털 애널리스트는 할인현금흐름 접근 방식(discounted cashflow approach)을 사용하여 주가를 위험조정할인율(risk-adjusted discount rate)에 의해 할인한 일련의 미래 수익으로 간주할 것이다. 미래 이익을 예측하고 할인율을 결정하면 펀더멘털 애널리스트는 밸류에이션에 도달하게 된다. 상대적 기준으로 주식을 평가하는 애널리스트는 해당 종목을 동종 기업의 주식들과 비교한다. 예를 들어 신발 회사의 주가수익비율(P/E ratio) 또는 기타 밸류에이션 지표가 다른 비교 대상 신발 회사의 주가수익비율보다 높으면 해당 회사의 주식은 비싼 것으로 간주된다. 또한 국채수익률과 주식의 예상 미래 수익률을 비교하는 등 자산 클래스 전반에 걸쳐 상대적 가치평가를 수행할 수 있다.

주식의 미래 가격을 예측하기 위해 밸류에이션을 사용할 때 어려운 점은 주식을 평가하는 방법이 다양하고, 올바른 방법이 무엇인지 명확하지 않다는 것이다. 이전 연구에서는 주가순자산비율(P/B ratio)을 적용했을 때 '저렴한' 주식이 더 나은 성과를 내는 경향이 있다고 제안했지만, 최근 연구에 따르면 이는 더 이상 사실이 아닐 수 있다.[75]

---

75 For a discussion on value premium see Fama, Eugene F., and Kenneth R. French. "Common Risk Factors in the Returns on Stocks and Bonds." Journal of Financial Economics 33, no. 1 (1993): 3–56. https://doi.org/10.1016/0304-405X(93)90023-5 For a discussion on how changes in market structure have affected the value premium, see Green, Mike, and Wayne Himelsein. "Talking Your Book About Value (Part 1)." Logica Capital, May 14, 2020. http://fedguy.com/wp-content/uploads/2021/12/Talking-Your-Book-on-Value.pdf

패시브 투자의 부상
The Rise of Passive Investment

지난 수십 년 동안 주식시장의 구조는 패시브 투자의 증가로 인해 크게 변화했다.[76] 점점 더 많은 미국인이 액티브 투자자처럼 밸류에이션에 따라 투자하지 않는 '타겟 데이트 펀드(target-date fund, 줄여서 TDF 펀드)'[77]와 같은 고용주가 후원하는 은퇴 플랜을 통해 주식시장에 투자하고 있다. 액티브 투자자는 일종의 밸류에이션 지표에 따라 주식을 매수하지만, 패시브 투자자는 가격에 신경 쓰지 않는다. 예를 들어, 퇴직연금 펀드는 주식 밸류에이션이 아무리 비싸더라도 급여 지급 기간마다 할당된 금액을 투자한다. 지난 20년 동안 패시브 투자로 유입된 자금으로 인해 패시브 투자자는 주식시장의 한계투자자(marginal investor)[78]로 성장했다. 이는 몇 가지 매우 중요한 의미를 내포하고 있다:

- 주식시장은 상승 추세에 있다. 밸류에이션이 터무니 없이 높다고 여겨지는 경우에도 매주 주식시장에는 새로운 자금이 꾸준히 유입된다. 이는 시장 전체에 상승 편향을 만든다.
- 시가총액이 큰 주식은 계속해서 빠른 속도로 커진다. 은퇴 계좌는 보통 S&P 500과 같은 특정 주가지수를 추종하도록 설정된

76 For more information, see the work of Mike Green at Simplify Asset Management.

77 근로자의 은퇴 날짜에 맞춰 주식과 채권 비중을 조절하여 운용되는 펀드

78 한계 투자자란 자신의 행동이 증권의 시장 가격을 결정하거나 전체 시장 상황에 영향을 미치는 투자자를 말한다.

다. 지수 내에서 시가총액이 큰 기업일수록 지수 추종 펀드에 의해 더 많은 자금이 할당되고, 결국 주식 가격을 상승시킨다. 이는 미체결 매수 및 매도 주문의 양과 규모를 나타내는 주식의 호가창 깊이가 해당 주식의 시가총액과 완벽하게 비례하지 않기 때문에 대형주로의 투자 유입이 증가하면 주가가 빠른 속도로 상승하기 때문이다. 한 종목의 가격이 상승하면 지수에서 차지하는 비중이 커지므로 더 많은 자금이 할당되어 상승 모멘텀이 강화된다. 패시브 투자가 지배하는 시장에서는 시가총액이 큰 기업의 상승폭이 더욱 커진다. 마이크로소프트나 애플과 같은 대형 테크 기업의 놀라운 성과가 바로 이러한 현상을 잘 보여준다. 공교롭게도 이 두 회사는 다우존스, S&P 500, 나스닥 등 3대 주요 주가지수에 모두 포함되어 있다.

- 가치투자는 더 이상 통하지 않는다. 가치투자는 '저렴한' 기업이 시간이 지남에 따라 주가가 상승하고 시장보다 높은 수익률을 내는 경향이 있다는 생각에 의존한다. 이는 주가 대비 장부가치를 가치의 척도로 사용한 파마-프렌치 연구(the Fama-French study)로 유명해졌다. 그러나 이 연구는 패시브 투자 흐름이 시장을 지배하기 전의 시절에 수행되었다. 저가 기업은 패시브 투자자들의 자금이 유입되는 주요 주가지수에서 대부분 빠져 있는 소규모 기업들이다. 따라서 이러한 가치주 기업들은 계속해서 실적이 저조했다. 가치를 추구하는 액티브 투자자들은 주요 주가지수를 끌어올리는 은퇴 자금의 꾸준한 유입을 따라잡을 수 없다.

많은 시장 참여자는 주요 주가지수가 크게 하락하면 중앙은행이 시장 가격을 끌어올리기 위해 행동에 나설 것이라는 '중앙은행의 풋옵션(central bank put)'의 존재를 믿고 있다.[79] 어떤 중앙은행 관계자도 이러한 정책을 인정하지 않지만, 지난 10년 동안 전 세계 주요 중앙은행들이 취한 행동은 바로 이러한 방식이었다. 2010년 11월 버냉키 의장은 새로운 양적완화를 옹호하면서 주가 상승이 부의 효과를 창출하여 소비 심리를 개선하고 소비 지출을 늘릴 수 있다고 언급했다.[80] 연준은 주가 상승이 정책 목표를 달성하는 데 도움이 될 수 있다고 믿었다. 주식시장이 정책 도구로 등장한 것이다.

2014년 일본은행은 주요 중앙은행 중 최초로 주식 매입에 나섰다. 이 소식이 전해진 후 몇 달 동안 일본 증시 지수는 급등했지만, 이후 몇 년 동안은 등락을 거듭했다. 물론 중앙은행의 조치 외에도 주가에 영향을 미칠 수 있는 요인이 많고 이후에도 주목할 만한 이벤트가 많았지만, 일본 주식시장 지수는 이후 BOJ의 추가 주식 매입 발표에 점점 더 흥분하지 않는 모습을 보였다. BOJ가 일본 주식 보유량을 도쿄증권거래소 시가총액의 약 6%까지 꾸준히 늘렸음에도 불구하고 2015년부터 2020년까지 닛케이 지수는 사실상 횡보세를 보였다.

---

79 '중앙은행 풋옵션'이라는 표현은 많은 시장 참여자들이 금융 위기가 발생하면 연준과 같은 중앙은행이 주식시장에 개입하거나 조치를 취할 것이라는 믿음을 나타낸다. 즉 투자자들은 연준이 주가의 심각한 하락을 막기 위해 어떤 형태의 지원을 제공할 것이라고 믿는다.

80 Bernanke, Ben. "Aiding the Economy: What the Fed Did and Why." Op-ed. Board of Governors of the Federal Reserve System, November 5, 2010. https://www.federalreserve.gov/newsevents/other/o_bernanke20101105a.htm

연준은 주식을 매입할 법적 권한이 없다. 그러나 연준은 위기 상황에서 금융시장을 지원할 방법을 창의적으로 찾아왔다. 최근의 역사를 보면 연준이 대차대조표에 더 위험한 자산을 편입하는 패턴이 뚜렷하므로 언젠가 연준이 주식을 매입할 가능성도 배제할 수 없다.

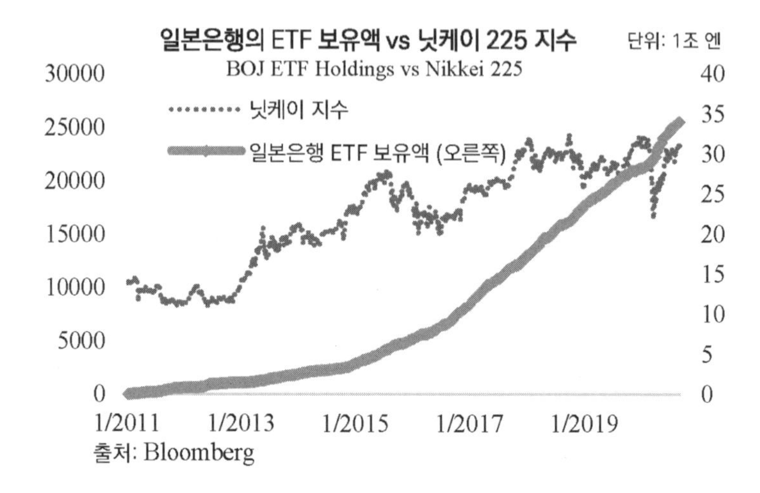

출처: Bloomberg

주식시장은 거래소에 상장된 주식만 있는 것이 아니며 비상장 사모펀드를 위한 별도의 시장도 존재한다. 기업이 일반 대중에게 주식을 판매하려면 규제 절차를 거친 다음 기업공개(IPO)를 해야 한다. 그런 다음 회사는 지속적인 규제 공시의 대상이 되며, 회사에 대해 다양한 상반된 비전을 가지고 있을 수 있는 새로운 주주들의 이해관계에 대응해야 한다. 기업공개는 많은 투자자로부터 자금을 조달할 수 있는 기회를 제공하지만, 일부 기업은 그만한 가치가 없다고 판단하여 사모 시장을 통해 자금을 조달하는 것을 선호하기도 한다.

기업은 특정 규제 기준에 부합하는 규모의 자산을 보유한 전문 투자자인 적격 투자자(accredited investor)에게 주식을 매각하여 사모 시장을 통해 자금을 조달할 수 있다. 이러한 투자자는 자체 실사를 수행할 수 있을 만큼 수준 높은 투자자이므로 IPO가 제공하는 규제 보호가 필요하지 않은 것으로 간주된다. 주식을 공개적으로 상장하지 않기로 선택한 기업은 보통 상장 기업보다 규모가 작고 덜 정교하다. 예를 들어, 가족 소유의 중견 기업이 기관투자자에게 회사 주식을 매각하여 자금을 조달하려고 할 수 있다. 기관투자자는 사업의 소유 지분을 매입하고 때로는 비즈니스를 더욱 개선하기 위해 경영 전문 지식을 제공하기도 한다.

기업이 기업공개를 할 수 있더라도 비공개로 유지하면 몇 가지 이점이 있다. 비상장 기업은 주주들의 투자 기간이 길기 때문에 보다 장기적인 관점에서 회사를 운영하는 경우가 많다. 상장 기업은 분기별 실적 보고 주기가 있으며, 장기적인 수익성을 희생하면서 단기적인 이익을 극대화해야 할 수 있다. 또한 상장기업의 오너는 적대적 인수합병이 발생하면 경영권을 잃을 위험에 처할 수 있는데, 이는 누구든지 회사의 주식을 충분히 매입하여 경영권을 확보할 수 있기 때문이다.

사모펀드 투자는 잠재적으로 높은 수익을 올릴 수 있지만 평균적으로 주식시장과 비슷한 수익률을 보인다.[81] 사모펀드 투자자들은 심각한 유동성 문제를 직면하기도 한다. 상장기업 투자자는 거래소에서 쉽게 주식을 매도할 수 있지만, 비상장기업 투자자에게는 거래소가 없다. 사모펀

---

81 Barber, Felix, and Michael Goold. "The Strategic Secret of Private Equity." Harvard Business Review, September 2007. https://hbr.org/2007/09/the-strategicsecret-of-private-equity

드의 주식을 판매하려는 투자자는 다른 전문 투자자를 찾고, 매수자가 투자를 평가할 수 있도록 회사에 대한 기밀 재무 정보를 제공한 다음 가격에 합의해야 한다. 긍정적인 측면은 사모펀드 시장은 비유동적이기 때문에 사모펀드 투자자는 주식시장이 폭락하더라도 보유 주식의 가격 하락을 피할 수 있다는 점이다.

유동성 문제로 인해 비상장 기업이 상장 기업으로 전환하는 경우도 종종 있다. 기업공개는 사모펀드 주주들이 투자를 쉽게 현금화할 수 있는 방법을 제공한다. 비상장 기업의 창업자와 투자자는 보유한 비상장 주식의 밸류에이션 모델 가치에 따라 막대한 부를 축적할 수 있지만, 실제로 주식을 팔 수 없다면 모든 부는 가상에 불과하다. 주식이 공개적으로 거래되면 온라인 중개업체에 로그인한 다음, 화면에 표시되는 가격에 매도하여 보유 주식을 쉽게 현금화할 수 있다.

마켓메이커: 보이지 않는 손

Market Makers[82]: An Invisible Hand

주가는 보통 천천히 상승하다가 갑자기 큰 폭으로 하락하는 패턴을 보인다. 이러한 하락에 대한 설명은 여러가지가 있지만, 그중 하나는 주식시장의 구조이다. 기관투자자는 하락을 헤지하기 위해 풋옵션을 매수(buy puts)하고 추가 수익을 창출하기 위해 콜옵션을 매도(sell calls)하는

---

82 시장에 유동성을 제공하고 매수, 매도 호가를 항상 유지하고 호가차익을 추구하는 사람 또는 기관

경향이 있다. 옵션 딜러는 일반적으로 이러한 거래의 반대편에 서게 된다. 따라서 옵션 딜러는 주가의 상승은 늦추고 하락은 가속화하는 방식으로 옵션 포지션을 헤지해야 한다.

옵션 딜러는 옵션 매수 및 매도를 통해 벌어들이는 거래 수수료로 수익을 창출한다. 옵션 딜러는 주식이 오를지 내릴지에 대한 방향성을 고려하지 않고 오로지 거래 수수료 수익에만 관심이 있다. 예를 들어 투자자가 주식에 대한 콜옵션을 매도하고자 할 때, 딜러는 베팅의 반대편에서 콜옵션을 보유하게 된다. 주가가 상승하면 콜옵션의 가치가 상승한다. 딜러의 비즈니스 모델은 방향성 베팅이 아닌 거래 수수료를 기반으로 하기 때문에 딜러는 주식을 공매도하여 콜옵션에 대한 노출을 헤지한다. 이렇게 해서 주가가 상승하면 콜옵션에 대한 딜러의 이익이 공매도로 상쇄된다. 이를 '델타 헤지(delta hedged)'라 한다. 주가가 하락하면 콜옵션의 가치도 하락한다. 델타 헤지를 유지하기 위해 딜러는 주식의 일부를 매수하여 공매도 포지션을 줄인다. 딜러는 구조적으로 콜옵션 롱(매수) 포지션이므로 주가가 상승할수록 딜러는 더 많은 주식을 공매도하고, 주가가 하락할수록 딜러는 더 많은 주식을 매수한다. 이는 주가의 상승과 하락 속도를 조절한다.

그러나 딜러는 구조적으로 풋옵션 공매도(short put) 포지션을 취하는 경향이 있다. 투자 펀드는 포트폴리오의 보험으로 풋옵션을 매수하기 때문이다. 딜러가 풋옵션을 공매도하면 다른 역학관계가 발생한다. 풋옵션 공매도 포지션을 헤지하기 위해 딜러는 주식을 매도한다. 이렇게 해서 주가가 하락하면 딜러는 풋옵션 공매도 포지션에서 손실을 보지만, 주식 공매도 포지션(short stock)에서 수익을 얻게 된다. 주가가 하락할수록 딜러는 헤지 상태를 유지하기 위해 더 많은 주식을 매도해야 한다. 주가가 상승하면 풋옵션 공매도 포지션의 가치도 상승한다. 이로 인해 딜러는 주식을 매수하여 공매도 포지션을 줄이고 주가 상승을 강화한다. 이러한 역학 관계는 주가 변동성이 심한 자기 강화 사이클을 만들며, 갑작스러운 주식시장 폭락이나 주가 급등으로 이어질 수 있다.

딜러가 풋옵션이든 콜옵션이든 옵션을 공매도하면 딜러는 '숏 감마(short gamma)'가 된다. 즉, 기초 자산 가격이 하락(상승)하면 공매도한 풋옵션(콜옵션)에 대한 손실이 비선형적으로 증가한다는 뜻이다. 따라서 딜러는 주식 가격이 하락(상승)할 때 포지션을 헤지하기 위해 점점 더 많은 양의 기초 주식(underlying stock)을 매도(매수)해야 한다. 반면에 딜러가 옵션 롱(매수) 포지션을 취하면 '롱 감마(long gamma)' 포지션이 된다. 이들은 가격 변동과 반대 방향으로 포지션을 헤지하므로 가격이 상승(하락)할 때 기초 주식을 매도(매수)한다. 숏 감마 포지션의 헤지는 가격 추세를 강화하는 반면, 롱 감마 포지션의 헤지는 가격 추세를 완화한다.

딜러 커뮤니티가 헤지하는 금액은 S&P 500의 작은 움직임에도 수십억 달러에 달하는 것으로 추정된다.[83] 딜러는 보통 롱 감마 포지션을 취하지만, 주식시장이 급락할 경우 '외가격(out of the money)' 포지션이 '내가격(in the money)'으로 전환되며, 추가 헤지가 필요할 수 있다. 즉, 주가지수가 급락하면 딜러는 숏 감마 포지션으로 전환하고 헤지 유지를

83 딜러의 감마 포지션 일일 추정치는 www.squeezemetrics.com 에서 볼수 있다.

위해 대량의 주식을 매도해야 하므로 가격 하락이 더욱 악화될 수 있다. 이러한 패턴은 주식시장에서 실제로 흔히 볼 수 있는 현상이다.

부채자본시장
Debt Capital Markets

부채자본시장은 주식시장처럼 화려하지는 않지만 그 규모가 더 크고 중요하다는 사실은 틀림없다. 부채자본시장에서는 기업이나 정부가 채권을 발행하여 돈을 빌린다. 채권은 단순히 투자자로부터 받는 은행예금에 대한 대가로 차입자가 발행하는 상환 약속이다. 상업은행이 대출을 발행하면 은행예금이 생성되어 차입자의 은행 계좌에 입금되지만, 비은행 차입자가 비은행 투자자에게 채권을 발행하면 비은행 투자자는 은행예금을 비은행 차입자의 계좌로 송금한다. 부채자본시장은 더 많은 은행예금을 창출하기 보다 기존 은행예금을 더 효율적으로 활용할 수 있게 한다.[84]

채권시장은 주식시장보다 훨씬 더 복잡한데, 그 이유는 채권이 여러 측면에서 고도로 맞춤화할 수 있기 때문이다. 예를 들어, 채권에는 다양한 종류의 만기, 이자율, 우선순위, 옵션, 약정 등이 있다. 어떤 대기업이든

---

84 상업은행은 여전히 돈을 빌리거나 대출을 제공함으로써 부채자본시장에 참여할 수 있다. 전자의 경우 본질적으로 은행예금 부채를 장기부채로 전환하여 자금 유출을 관리하는 데 도움이 된다. 후자의 경우 기능적으로 은행 대출과 동일하다. 상업은행이 채권을 매입하면 채권 발행자 계좌에 새로 생성된 은행예금이 입금된다. 채권과 대출의 주요 차이점은 채권은 쉽게 거래할 수 있으므로 유동성이 훨씬 더 높다는 것이다.

증권거래소에 상장된 주식은 한 가지 종류만 있을 가능성이 높지만, 여러 종류의 부채가 발행되어 있을 것이다. 이 중 일부는 장기(long term), 단기(short term), 변동금리(floating rate), 고정금리(fixed rate), 선순위무담보(senior unsecured), 담보(secured), 콜옵션(callable) 등 다양한 조건의 부채가 있다. 심지어 국채도 만기와 이자율이 매우 다양하다. 따라서 채권시장을 이해하는 것은 매우 복잡한 작업이다.

채권시장은 주식시장보다 불투명하다. 주식은 일반적으로 4자 이하의 알파벳으로 구성된 티커 심볼(ticker symbol)로 식별되는 반면, 채권은 9개의 영숫자로 구성된 CUSIP 번호로 식별된다.[85] 예를 들어 "91282CAE1"은 2030년 8월에 만기일이 도래하는 10년 만기 국채의 CUSIP 번호이다. 누구나 인터넷에서 주식의 거래 가격을 검색할 수 있지만, 특정 CUSIP 번호의 가격을 검색하려면 전문 플랫폼을 사용해야 하는 경우가 많다. 또한 대부분의 채권은 자주 거래되지 않기 때문에 딜러에게 문의하지 않으면 가격에 대한 데이터를 얻지 못할 수도 있다.

시장 참여자가 일반적으로 채권을 평가할 때, 동일한 만기의 미국 국채 수익률과의 스프레드로 해당 채권의 가치를 평가한다. 예를 들어, 마이크로소프트에서 발행한 5년 만기 회사채는 5년 만기 국채보다 수익률이 얼마나 높은지에 따라 평가된다. 국채는 위험이 없고 유동성이 있다고 가정한다. 마이크로소프트의 회사채가 제공하는 추가 수익률은 투자자가 감수하는 신용 및 유동성 위험에 대한 보상을 제공하기 위한 것이다.

---

85 CUSIP은 이러한 채권 번호를 관리하는 단체인 '통일증권식별절차위원회(Committee on Uniform Securities Identification Procedures)'의 약자이다.

신용 위험은 회사가 디폴트에 빠질 가능성과 디폴트가 발생할 경우 대출금의 몇 퍼센트를 회수할 수 있는지 고려한다. 신용등급은 채권의 신용 위험을 결정하는 가장 중요한 요소이다. 대형 투자기관은 현실적으로 투자하는 모든 회사의 재무 상태를 꼼꼼히 살펴볼 시간이 없기 때문에 신용평가기관에 많은 부분을 의존한다. 대부분의 경우, 투자 기준에 신용등급 의존도가 명시되어 있으며 특정 등급 이상의 채권에만 투자할 수 있다. 기업의 신용등급이 높을수록 낮은 금리로 대출이 가능하다. 기업이 투자 등급 이하로 평가되면 많은 투자 펀드들이 소위 정크본드를 매입할 수 없기 때문에 대출 금리가 급격히 상승한다.

유동성 위험은 투자자가 만기 전에 돈이 필요할 경우 채권을 매각하는 것이 얼마나 어려운지를 고려한다. 미국 국채는 전 세계에서 24시간 거래되는 반면, 대부분의 다른 채권은 거래가 드물게 이루어진다. 시장 상황에 따라 투자자는 상당한 할인 없이 채권을 매각하지 못할 수도 있다. 채권의 유동성이 낮을수록 해당 채권과 국채와의 스프레드는 더 넓어진다.

채권시장은 일반적으로 경제 펀더멘털에 더 민감하기 때문에 '더 똑똑한' 시장으로 여겨진다. 채권투자자는 투자 원금과 이자를 돌려받는 데만 관심이 있는 반면, 주식투자자는 신제품 출시로 인한 무한한 주가의 상승 가능성을 꿈꿀 수 있다. 채권투자자는 원금과 이자 지급 이상의 상승 여력이 없지만, 기업이 부채를 상환하지 못하면 손실을 볼 수 있다. 기업의 펀더멘털 악화는 채권 가격에 빠르게 반영되지만 반드시 주식 가격에 반영되지는 않는다.

일반 대중은 주식시장에 대해 잘 알고 적극적으로 참여하지만 채권시장의 복잡한 구조에 대해서는 잘 알지 못한다. 예를 들어, 2020년 6월 허츠(Hertz)가 파산 신청을 한 후, 허츠의 채권은 회생 가능성이 낮다는 것을 반영하듯 달러당 1센트까지 빠르게 하락했다. 파산 시 모든 채권투자자는 주식투자자가 돈을 받기 전에 전액을 지급받기 때문에 파산 신청은 거의 항상 회사의 주식이 가치가 없다는 것을 뜻한다. 하지만 파산 신청 후 개인투자자들이 대거 유입되면서 허츠의 주가는 급등했다. 이 개인투자자들은 파산 신청이 어떤 의미를 갖는지 몰랐을 가능성이 높으며, 채권투자자들은 이를 금방 알아차렸다.

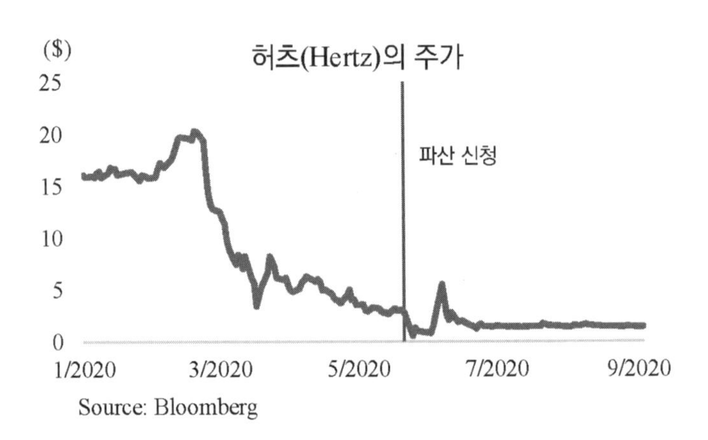

Source: Bloomberg

채권시장은 여러 하위 카테고리로 나뉘며, 그중 가장 큰 카테고리는 국채, 주택저당증권, 회사채이다. 그 외 주목할 만한 채권시장에는 지방 정부 채권과 자산유동화증권이 있다. 다음은 채권시장에서 가장 큰 세 가지 부문에 대한 간략한 개요를 제공한다.

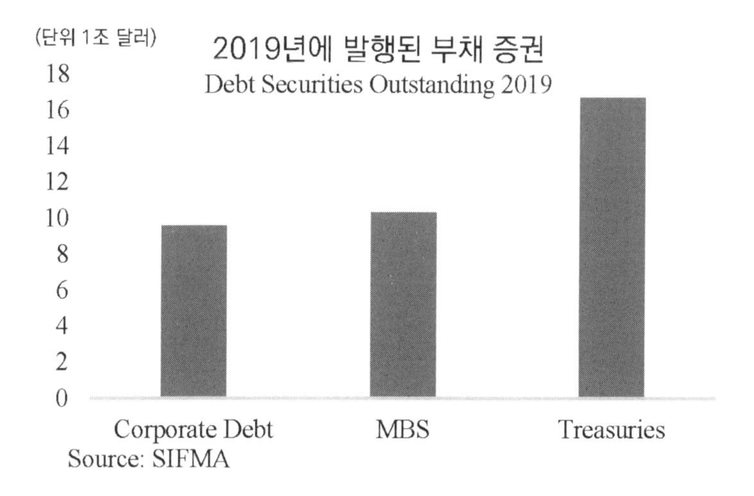

회사채

Corporate Bonds

회사채는 다양한 투자자가 보유하며, 그중 가장 큰 투자자는 보험사, 연기금, 뮤추얼펀드이다. 상장지수펀드(ETF)는 규모는 작지만 점점 더 중요해지는 투자자 계층이다. 일반적으로 시장은 투자적격등급(BBB 이상 채권)과 하이일드등급(BBB- 이하 채권, 정크본드라고도 한다)으로 나뉜다.[86] 스탠다드앤푸어스(S&P)에 따르면 회사채의 약 85%가 투자 등급이고 나머지는 하이일드 채권이다. 보험회사와 연기금은 보수적으로 투자하는 경향이 있어 회사채 보유 비중이 대부분 투자 등급인 반면, 뮤추얼펀드 ETF

86 S&P 등급은 신용등급을 최고부터 최저까지 AAA, AA, A, BBB, BB, B, CCC로 평가하며, 등급 사이에 플러스 또는 마이너스가 추가된다. 다른 두 신용평가기관인 무디스와 피치도 비슷한 등급 체계를 가지고 있다. 실제로는 세 주요 기관 모두 일반적으로 발행자에게 동일한 등급을 부여한다.

는 투자 전략에 그 비중이 크게 달라진다. 고수익을 추구하는 뮤추얼 펀드와 ETF는 하이일드 채권의 구성비가 높다.

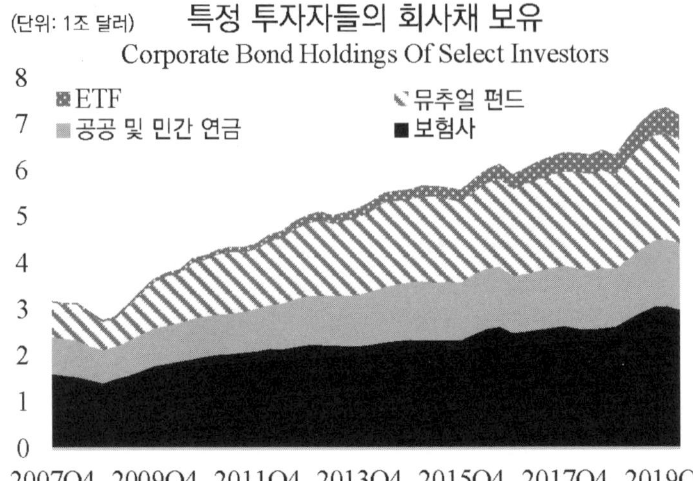

ETF는 회사채를 상대적으로 적게 보유하고 있지만 회사채 시장의 유동성과 가격 발견의 중요한 원천으로 각광받고 있다. 회사채 ETF는 다양한 회사채 포트폴리오를 보유하지만, 주식처럼 매일 활발히 거래되는 ETF 주식을 발행한다. ETF 주식은 기초 자산인 회사채보다 유동성이 훨씬 높기 때문에 주식 거래 동향을 통해 펀드의 채권 포트폴리오가 어떻게 평가되고 있는지 실시간으로 파악할 수 있다. ETF 주가와 ETF의 기초 자산인 회사채 간의 관계는 차익거래를 통해 결정된다. 기관투자자는 ETF 주식과 교환하여 회사채 바스켓[87]을 ETF 펀드에 매도하거나 회사채 바스켓을 팔고 ETF 주식을 다시 매입할 수 있다.

---

87 바스켓(bakset) - 여러 종목을 동시에 매수 또는 매도할 때 사용하는 주문 유형

투자 등급 회사채 시장의 차입자는 신용등급이 탄탄한 대형 기업인 경우가 많다. 최근 몇 년 동안 금리와 회사채 스프레드가 사상 최저치를 기록하면서 투자 등급 회사채 시장은 엄청나게 성장했다. 신용등급이 가장 높은 기업이 채권을 발행하면 인플레이션을 약간 상회하는 금리로 수십억 달러를 빌릴 수 있으며, 이는 상업은행이 제공하는 금리보다 훨씬 낮은 수준이다. 이는 은행이 대출 가격을 책정할 때 신용 위험뿐만 아니라 규제 비율과 자기자본이익률(ROE)의 영향도 고려하기 때문이다. 회사채 투자자는 이러한 고민을 하지 않고 국채나 기관 MBS와 같은 유사 금융상품의 상대적 수익률에 집중한다. 중앙은행 정책으로 인해 유사 금융상품의 수익률이 낮아지면서 회사채 투자자들은 점점 더 낮아지는 회사채 수익률을 받아들일 수밖에 없었다.

하이일드 채권시장(high-yield market)의 차입자는 현금흐름에 비해 부채 수준이 높은 기업이기 때문에 신용등급이 낮은 경향이 있다. 이들은 일반적으로 예전에 신용등급이 투자 등급이었지만 강등된 기업이나 운영 이력이 부족하여 투자 등급을 충족하지 못한 신생 기업이다. 하이일드 영역에서 상업은행은 레버리지 대출(leveraged loan)이라는 유사 금융상품을 제공할 수 있다. 레버리지 대출은 본질적으로 고금리 대출이기 때문에 하이일드 채권처럼 쉽게 거래할 수 없으며 자금 사용 방식에 더 많은 제한이 있다. 이러한 제약 조건은 '약정(covenant)'이라고 불리며 은행의 지속적인 모니터링을 통해 시행된다. 실제로 은행은 레버리지 대출을 일으킨 다음, 해당 대출을 유동화하여 대출채권담보부증권(Collaterized Loan Obligation, 줄여서 CLO) 펀드에 매각하는 경우가 많다.

은행은 CLO 중 가장 신용등급이 높은 선순위 채권만 보유하고 나머지는 위험 선호도가 높은 투자자에게 매각한다.[88]

많은 시장 참여자가 주식시장에 중앙은행의 '풋옵션'이 존재한다고 확신하는 것처럼, 일부 시장 참여자는 채권시장에서도 중앙은행의 '풋옵션'이 존재한다고 확신하고 있다. 이는 중앙은행이 회사채 시장에서 점점 더 적극적인 매수자가 되고 있기 때문이다.

일본은행은 2013년에 주요 중앙은행 중 최초로 회사채 매입을 시작했고, 2016년에는 유럽중앙은행, 2020년에는 연준이 그 뒤를 이었다. 이러한 회사채 매입은 돈을 빌리는 회사의 차입 비용을 낮춰 통화정책의 전달력을 높이고 경제를 활성화한다는 명분으로 정당화되었다. 이제 중앙은행은 은행 시스템을 통해 차입자에게 전가되는 저금리에 의존하는 대신, 직접 회사채를 매입하여 기업의 차입 비용을 낮추고, 이로써 회사채 수익률을 낮출 수 있다. 중앙은행의 회사채 매입은 기업의 차입 비용을 낮추는 것처럼 보이지만, 회사채가 경제 펀더멘털에 덜 민감하게 반응하게 만드는 것으로도 보인다. 이제 많은 시장 참여자들은 경제 펀더멘털이 악화되더라도 중앙은행이 채권 가격을 높게 유지할 것으로 믿기 때문에 기업 부채에 대한 위험 노출에 대해 우려하지 않는다.

---

88 DeMarco, Laurie, Emily Liu, and Tim Schmidt-Eisenlohr. "Who Owns U.S. CLO Securities? An Update by Tranche." FED Notes. Board of Governors of the Federal Reserve System, June 25, 2020. https://www.federalreserve.gov/econres/notes/feds-notes/who-owns-us-closecurities-an-update-by-tranche-20200625.htm

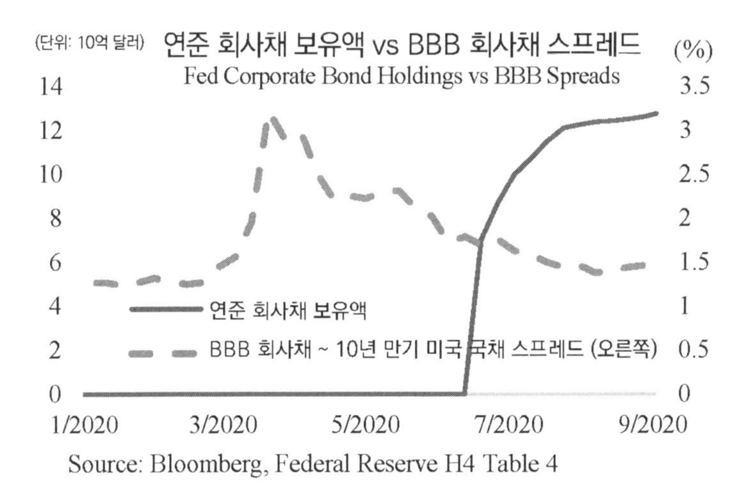

Source: Bloomberg, Federal Reserve H4 Table 4

실제로 중앙은행은 비교적 적은 양의 회사채를 매입했다. 연준의 회사채 매입은 미국 회사채 전체에서 0.1%에 불과했다. 다른 많은 중앙은행 정책과 마찬가지로 중앙은행이 시장에 개입한다는 인식이 투자자의 신뢰를 높이는 데 충분한 것으로 보인다. 시장 참여자들은 금융위기가 발생하면 연준이 자산 매입 규모를 대폭 확대할 것으로 기대할 수 있다.

양적완화가 주가를 끌어올리는 방법: 기업 레버리지
How QE Lifts Stocks: Corporate Leveraging

기업은 자본 또는 부채를 사용하여 자금을 조달할 수 있다. 주식투자자는 기업의 소유자이므로 기업의 위험을 공유한다. 회사의 수익성이 높으면 주식의 가치가 높아지고, 회사가 파산하면 주식투자자는 아무것도 받지 못한다. 반대로 채권투자자는 원금과 이자를 지급받는다. 회사가 파산하면 자산이 매각되고 그 수익금은 채권 보유자에게 돌아간다.

기업이 주가를 부양할 수 있는 방법 중 하나는 채권을 발행하여 주식을 매입하는 것이다. 주식투자자가 더 많은 위험에 노출되어 있기 때문에 보유한 주식에 대해 10%의 자기자본이익율(ROE)을 요구한다고 가정해 보자. 동시에 금리가 낮기 때문에 회사는 5%의 이자율로 채권을 발행할 수 있다. 회사는 부채를 발행한 다음 주식을 매입함으로써 자본 비용을 절감한다. 회사는 10%의 수익을 주주들에게 지급하기 위해, 5%의 이자율로 효과적으로 돈을 빌리고 있는 것이다. 동시에 발행 주식 수가 감소하기 때문에 주주들은 더 많은 수익을 얻을 수 있다. 이는 순전히 금융공학을 통한 주가 상승으로 이어진다.

지난 몇 년 동안 양적완화 정책은 장기금리를 사상 최저 수준으로 끌어내리는 데 도움이 되었다. 기업들은 초저금리의 이점을 활용하여 막대한 규모의 채권을 발행하고 이를 자사주 매입에 사용했다. 대표적인 예로 2015년부터 2019년까지 자사 주식의 약 20%를 매입한 애플을 들 수 있다.[89] 2019년 애플의 순이익은 2015년과 비슷한 수준이었지만, 발행 주식 수가 줄어든 덕분에 주당 순이익은 급격히 상승했다. 이러한 금융공학 덕분에 애플의 주가는 4년 동안 두 배로 상승했다.

---

89 Santoli, Michael."Apple's Stock Gains the Last 4 Years Prove 'Financial Engineer ing' via Buybacks Works." CNBC, July 31, 2019. https://www.cnbc.com/2019/07/31/santoli-apples-gains-are-largely-the-productof-buyback-financial-engineer-ing.html

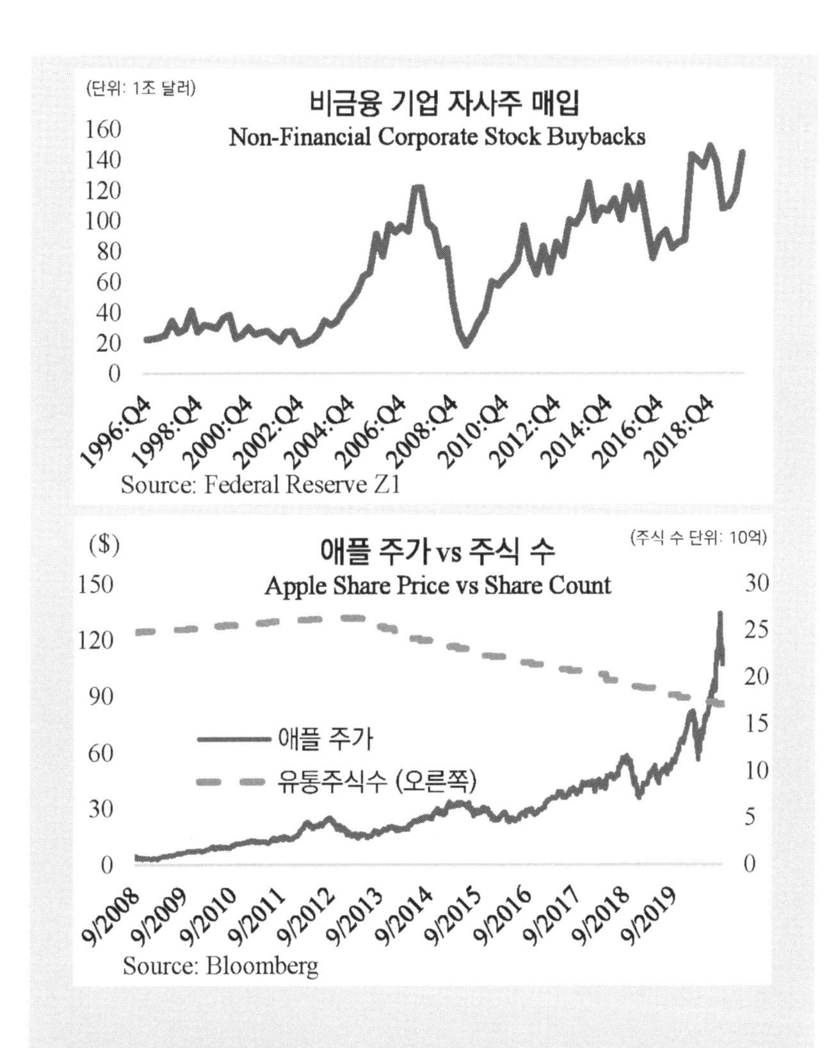

하지만 기업의 레버리지 증가에는 분명한 위험도 존재한다. 이익을 공유할 주주가 줄어든 만큼 손실을 공유할 주주도 줄어든다. 경기 침체가 발생하면 주주는 주당 손실이 커져 주가가 크게 하락할 수 있다. 레버리지가 높은 자본 구조는 상승장과 하락장 모두에서 주가의 변동성이 더 크다는 것을 뜻한다.

기관 MBS
Agency MBS

기관 MBS는 정부가 보증하는 주택저당증권이다. 주택저당증권은 주택 대출 풀에서 발생하는 현금흐름을 받는 채권이다. 정부는 주택저당증권 또는 해당 증권의 기초 자산이 되는 주택 대출을 보증할 수 있다. 기관 MBS는 미국에서 두 번째로 큰 채권시장으로, 발행 규모가 8조 5,000억 달러가 넘는다. 대부분의 기관 MBS는 단독 주택 대출을 기반으로 하며, 약 1조 달러는 주로 다가구 주택인 상업용 부동산 대출로 뒷받침된다. 기관 MBS는 신용 위험이 적고 유동성이 높으며 국채보다 수익률이 약간 높기 때문에 전 세계 보험사 및 외국 중앙은행과 같은 보수적인 투자자들에게 인기가 높다.[90] 약 1조 달러의 기관 MBS를 외국인이 보유하고 있으며, 이 중 60% 이상을 아시아 투자자들이 보유하고 있다.[91]

---

90 지니 메이(Ginnie Mae)가 보증하는 기관 MBS는 지니 메이가 연방정부의 일부이기 때문에 신용 위험이 없다. 패니 메이와 프레디 맥이 발행하는 기관 MBS는 암묵적인 정부 보증의 혜택을 받는다. 이들은 연방정부의 일부가 아니지만 연방정부의 지원을 받는다고 가정한다. 이 가정은 2008년 금융위기 당시 테스트되었으며, 연방정부가 패니 메이와 프레디 맥의 파산에 대해 전폭적인 지원을 제공했을 때 사실로 입증되었다.

91 Kaul, Karan, and Laurie Goodman. “Foreign Ownership of Agency MBS.” Ginnie Mae, July 2019. https://www.ginniemae.gov/newsroom/publications/Documents/foreign_ownership_mbs.pdf

패니 메이와 프레디 맥
Fannie Mae and Freddie Mac

패니 메이와 프레디 맥은 모기지채권시장의 양대 산맥이다. 두 기관의 역할은 2차 모기지 채권 시장(the secondary mortgage market)[92]에 유동성을 공급하여 미국 주택 시장을 지원하는 것이다. 이들은 모기지 대출을 매입한 다음 투자자들에게 판매할 수 있는 증권으로 패키징한다. 증권의 기반이 되는 대출은 패니 메이와 프레디 맥이 보증하기 때문에 투자자는 주택 소유자의 채무불이행에 대해 걱정할 필요가 없다.

과거부터 모기지는 상업은행이 주택 대출을 발행하고 이자 수입을 위해 대출을 자산으로 보유했다. 패니 메이와 프레디 맥은 대출이 특정 최소 신용 기준을 충족하는 경우, 상업은행에 모기지 대출을 판매할 수 있는 추가 옵션을 제공한다. 이러한 추가적인 유연성은 상업은행이 자금 조달이 필요한 경우 언제든지 패니 메이 또는 프레디 맥에 모기지 대출을 판매할 수 있는 옵션이 있기 때문에 더 많은 모기지 대출을 일으키도록 장려하기 위해 고안되었다. 이로 인해 주택 대출에 대한 강력한 2차 시장이 형성되었고, 주택 대출을 주로 투자로 보유하기보다는 판매를 목적으로 하는 '발행 후 판매(originate to distribute)' 비즈니스 모델도 가능해졌다.[93]

---

92 2차 모기지 시장은 금융 기관과 투자자 간에 모기지 대출을 사고파는 금융 시장이다. 대출기관이 발행한 모기지가 거래되어 모기지 시장에 유동성을 공급한다.

93 대출 기관이 대출을 만기까지 보유하는 것이 아니라 다른 기관 또는 투자자에게 판매할 의도로 대출을 제공하는 것을 말한다.

오늘날 대부분의 모기지 대출은 비은행 모기지 대출 기관이 '발행 후 판매' 비즈니스 모델을 전문으로 하는 비은행 모기지 대출 기관에서 시작한다.[94] 이러한 모기지 대출 기관은 상업은행에서 대출을 받아 주택 구매자에게 돈을 빌려주고 해당 모기지를 패니 메이 또는 프레디 맥에 매각한 다음 매각 대금을 받아 다른 모기지 차입자에게 대출하는 과정을 반복한다. 비은행 주택 대출 기관은 대출 이자가 아닌 대출 개시 수수료로 수익을 창출한다. 2000년대 초반에는 이러한 물량 중심의 비즈니스 모델로 인해 대출 기관이 대출 개시 수수료를 극대화하려고 노력하면서 대출 기준이 낮아졌지만, 금융위기 이후 규제로 인해 이러한 행태가 크게 억제되었다.

패니 메이와 프레디 맥은 주택 대출을 받아 보증을 추가하고 증권으로 포장한 후 모기지 판매자에게 돌려주어 투자자에게 판매한다. 패니 메이와 프레디 맥의 보증으로 모기지 증권은 사실상 위험이 없다. 주택 대출이 디폴트가 발생할 경우 패니 메이 또는 프레디 맥이 이를 다시 매입하므로 투자자는 손실을 입지 않는다. 기관 MBS라 불리는 이 증권은 신용 위험은 최소화하면서 비슷한 국채보다 약간 더 높은 수익률을 제공하기 때문에 전 세계적으로 수요가 상당하다. 기관 MBS에 대한 이러한 수요는 모기지 대출에 대한 더 많은 수요를 창출하고, 이는 다시 더 많은 모기지 대출을 장려하여 일반 대중에게 모기지 대출을 널리 이용할 수 있게 한다.

---

94 Shoemaker, Kayla. "Trends in Mortgage Origination and Servicing: Nonbanks in the Post-Crisis Period." FDIC Quarterly 13, no. 4 (2019): 51–69.

2008년 금융위기 이전에는 주택 가격이 끊임없이 상승하는 동안 패니 메이와 프레디 맥이 보증 수수료를 징수했기 때문에 그들의 사업은 매우 수익성이 높았다. 2008년 주택 가격이 폭락했을 때 패니 메이와 프레디 맥은 미국 전체 모기지 대출의 약 절반을 보증했다. 주택 가격 폭락에 따른 대량 압류로 인해 패니 메이와 프레디 맥은 빠르게 파산했고 정부의 구조조정이 불가피했다. 그 이후로 패니 메이와 프레디 맥은 정부 관리하에 남아 있다.

기관 MBS 채권은 주택 대출 차입자가 주택 대출을 조기상환(선납)할 수 있는 옵션이 있기 때문에 평가하기가 다소 까다로울 수 있다. 미국 국채는 조기상환이 불가능하며, 조기상환 옵션이 있는 채권을 발행하는 기업 차입자는 보통 해당 옵션을 행사하지 않는다. 조기상환은 투자자가 언제 돈을 돌려받을지 정확히 알 수 없게 만든다. 이자율이 하락하고 다수의 주택 대출 차입자가 주택 대출을 재융자하기로 결정한 경우, 30년 만기 기관 MBS를 매수한 투자자는 25년 내 돈을 돌려받을 수 있다. 주택 대출이 재융자되면 기존 주택 대출을 상환하기 위해 새로운 주택 대출이 이루어지기 때문에 모기지 투자자는 더 빨리 돈을 돌려받을 수 있는 것이다. 반면에 투자자가 조기상환이 일정하게 유지될 것이라는 가정 하에 30년 만기 기관 MBS를 매수했지만 실제로는 이자율이 상승하고 재융자하는 차입자가 줄어들어 조기상환이 감소한다면 투자자는 예상보다 늦게 돈을 돌려받게 된다. 조기상환 불확실성은 기관 MBS의 모든 평가가 모델에 따라 달라진다는 것을 뜻한다. 기관 MBS 투자자는 미래에 발생할 조기상환금을 추정한 다음 현금흐름을 할인하여 채권의 가치를 산출한다.

연준은 2008년 금융위기 이후 주택 시장을 지원하고 금리에 하방 압력을 가하기 위해 기관 MBS 시장에서 적극적인 매수자로 활동해 왔다. 2020년 9월 현재 연준의 보유 규모는 1조 9,000억 달러로, 전체 발행 기관 MBS의 약 20%에 달한다. 연준은 기관 MBS를 대량으로 매입함으로써 모기지 대출의 재판매 가치를 높여 모기지 대출을 장려한다. 모기지 대출 기관은 일반적으로 자신이 발행한 모기지 대출을 투자자에게 판매하고, 투자자는 기관 MBS를 통해 모기지 대출을 자산으로 보유한다. 기관 MBS의 가격이 높으면 모기지 대출 기관은 기관 MBS 투자자에게 더 높은 가격에 대출을 재판매할 수 있기 때문에 저금리에서도 대출을 늘리려고 할 것이다.

민간 부문이 무위험 자산을 창출했던 시기

That One Time When the Private Sector Created Risk free Assets

재무부가 발행한 국채는 어떤 형태의 화폐와도 같다. 국채는 위험이 없고 레포 시장에서 쉽게 거래되고 현금을 대가로 담보로 제공된다. 2000년대 초반에도 민간 부문에서 이러한 일을 할 수 있었던 시기가 있었다.

2000년대 초반에는 민간 발행 주택저당증권 시장이 호황을 누렸다. 민간 발행 주택저당증권은 패니 메이와 같은 정부 후원 기관이 보증하지 않는 모기지(주택 대출)을 담보로 하는 채권이다. 대신 신용 점수가 매우 낮거나 서류상 소득이 없는 차입자에게 대출이 이루어질 수 있다. 금융공학자들은 이러한 모기지를 받아서 후순위(subordination) 또는 초과 담보(overcollateralization)와 같은 신용 강화 기술을 통해 위험이 없는 것으로

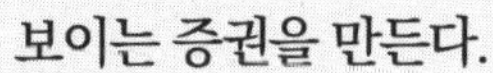

보이는 증권을 만든다.

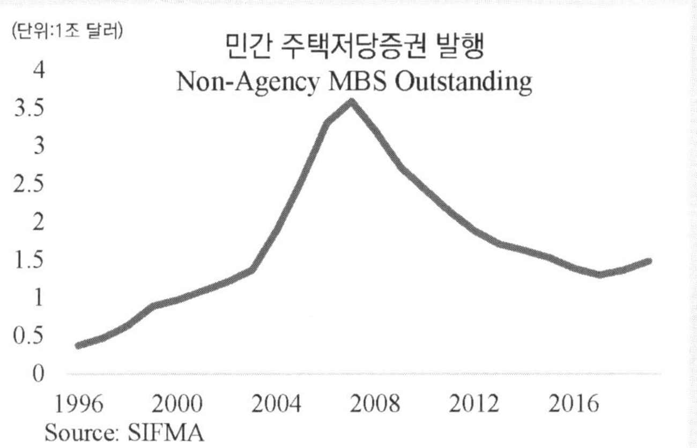

예를 들어, 1,000달러 상당의 저품질 모기지가 900달러 상당의 증권을 담보하고 있다고 가정해 보자. 또한 이 900달러 상당의 증권이 100달러 A 트랜치, 300달러 B 트랜치, 500달러 C 트랜치 등 세 개의 트랜치로 나뉘어 있다고 가정해 보자. 후순위를 적용시키면 모기지에서 발생하는 모든 현금흐름은 먼저 100달러 A 트랜치, 300달러 B 트랜치, 500달러 C 트랜치를 상환하는 데 사용된다. B 트랜치와 C 트랜치가 A 트랜치의 후순위이므로 A 트랜치의 디폴트 위험이 낮아진다. 초과담보를 사용하면 담보금 1,000달러가 900달러의 채권을 담보하는 데 사용되므로, 100달러의 모기지(A 트랜치)가 디폴트가 되려면, 먼저 B와 C 트랜치 채권에 손실이 발생해야 한다. 요약하면 A 트랜치는 900달러의 담보가 디폴트가 될 경우에만 손실을 입게 된다.[95] 이런 일이 일어날 가능성은 희박하기 때문에 A 트랜치 채권은 매우 안전하다.

---

95 이는 100달러의 쿠션이 추가 담보의 형태로 있다는 뜻이며 손실액이 900달러를 초과하는 경우에만 A트렌치가 손실을 입게 된다.

신용평가기관들도 이러한 대규모 디폴트가 발생할 가능성이 낮다고 판단하여 이 선순위 트랜치를 미국 국채만큼 안전하면서도 수익률이 높은 AAA 등급 채권으로 평가하는 경우가 많았다. 투자자들은 이 채권을 사들였고, 대규모의 유동성 자산 시장이 형성되었다. 모기지 채권이 돈이 된 것이다.

그러나 2006년부터 주택 가격이 하락하기 시작하면서 투자자들은 주택담보대출의 퀄리티에 대한 신뢰를 잃기 시작했다. 많은 후순위 민간 발행 주택저당증권(서브프라임 모기지)이 할인된 가격에 거래되기 시작했다. 2007년 초, 대형 투자 은행인 베어스턴스는 부실한 민간 발행 주택저당증권에 너무 많이 투자한 문제로 파산했다. 투자자들은 AAA 등급의 트랜치조차도 안전하지 않다고 의심하고 이를 처분하기 시작했다. 많은 투자자와 은행이 막대한 손실을 입었고, 결국 2008년 금융위기가 촉발되었다.

돌이켜 보면 AAA 등급의 트랜치는 거의 모두 상환되었다.[96] 금융위기 당시인 2008년에 AAA 등급 트랜치를 매입한 투자자들은 몇 년 만에 원금의 두 배를 쉽게 늘릴 수 있었다. 그러나 피해는 이미 발생한 후였고 민간 발행 주택저당증권 시장은 회복되지 않았다. 게다가 규제 당국은 안전 자산은 공공 부문에서 만들어야 하며, AAA 등급을 받은 민간 부문 자산도 더 이상 안전 자산으로 볼 수 없다고 결정했다. 오늘날

---

96 Ospina, Juan, and Harald Uhlig. "Mortgage-Backed Securities and the Financial Crisis of 2008: A Post Mortem." BFI Working Paper 2018-24. Becker Friedman Institute, April 2018. http://dx.doi.org/10.2139/ssrn.3159552

규제 대상 기관이 양질의 유동성 자산을 보유해야 하는 경우, 이는 정부 자산만을 의미한다.

미국 국채 (미국 재무부 발행 증권)
Treasury Securities

미국 국채 시장은 세계에서 가장 유동성이 풍부한 시장이며 글로벌 금융 시스템의 근간이다. 거의 모든 미국 달러 자산이 무위험 벤치마크로 간주되는 국채수익률에 따라 가격이 책정된다. 개인투자자는 은행예금을 현금으로 보유하지만, 전 세계 기관투자자는 국채를 현금으로 보유한다. 이들은 국채를 담보로 다른 금융자산을 매입하거나, 레포 시장에서 국채를 담보로 돈을 빌려 즉시 현금을 확보하거나, 국채를 전량 매도하여 현금을 확보한다. 국채는 미국 정부가 정기 경매를 통해 발행하며, 크게 단기국채(bills)와 중장기국채(coupons)로 나뉜다.[97] 단기국채(Treasury bills)는 1년 이내에 만기가 도래하는 단기 채권으로 할인된 가격으로 발행되며, 중장기국채는 2년에서 30년 사이의 만기로 발행되고 반기별로 이자가 지급된다.[98]

미국 재무부가 공개적으로 발표한 부채 관리 전략은 납세자에게 장기

---

97 여기서 말하는 'coupon'이란 만기 동안 주기적으로 지급되는 중장기국채를 지칭한다. 반면 'bill'은 주기적인 이자 지급이 없는 단기국채를 말한다.

98 할인 기준은 액면가보다 낮은 가격에 발행하는 것이다. 예를 들어, 1개월 만기 단기국채가 99센트에 판매된다면 채권의 구매자는 한달 후에 상환할 때 1달러를 받게 된다는 뜻이다. 사실상 채권의 구매자는 한 달에 1센트를 벌게 되며, 이는 연간 이자율로 환산하면 약 12%에 해당한다.

적으로 가장 낮은 비용으로 정기적이고 예측 가능한 시기에 국채를 발행하는 것이다.[99] 실제로 이는 재무부가 예측 가능한 규모의 중장기국채를 발행하고 부족한 자금은 단기국채 발행을 통해 충당한다는 것을 뜻한다. 예를 들어, 재무부가 이번 분기에 1,000억 달러의 중장기국채를 발표했지만, 나중에 200억 달러가 더 필요하다는 사실을 알게 되면, 200억 달러의 단기국채를 추가로 발행하면 된다. 중장기국채는 발행 규모가 매 분기 초에 발표되며 매월 경매가 진행되는 반면, 단기국채는 발행 규모가 유동적이며 일주일에 두 번 경매가 진행된다. 만약 재무부가 현금 흐름 요구 사항을 추가로 조정해야 하는 경우, 비표준 만기(non standard tenor)로 발행되는 단기국채인 '현금관리국채(Cash Management Bills)'를 발행할 수 있다.

단기국채시장은 매우 유동성이 높고 발행량의 큰 변동을 쉽게 흡수할 수 있다. 국채는 기본적으로 이자를 지급하는 화폐이기 때문에 투자자들은 국채를 단기부채로 보유하는 것에 대해 걱정하지 않는다. 반면, 만기가 긴 국채의 시장 가치는 인플레이션과 금리에 대한 기대에 따라 변동하며, 시간이 지남에 따라 유동성이 감소할 수 있다. 가장 최근 발행된 중장기국채를 '온더런(on the turn)'이라고 하고, 이전 경매에서 발행된 중장기국채를 '오프더런(off the run)'이라고 한다. 온더런 국채는 유동성이 매우 높지만 시간이 지날수록 점차 유동성이 감소한다. 오래된 오프더런 국채 보유자는 레포 시장에서 국채를 담보로 현금을 즉시 빌릴 수는 있

99 For more information see "Overview of Treasury's Office of Debt Management." https://home.treasury.gov/sys-tem/files/276/Debt-Management-Overview.pdf

지만, 국채를 완전히 매각하는 데는 많은 어려움이 있다. 이는 중장기국채 투자자를 더욱 신중을 기하게 만든다. 단기국채는 쉽게 거래할 수 있는 반면, 중장기국채의 공급은 일정에 따라 이루어진다.

미국 국채는 뉴욕 연준에서 프라이머리딜러에게 경매를 진행하며, 프라이머리딜러는 이를 다시 고객에게 국채를 재판매한다. 엄밀히 말하면 투자자는 프라이머리딜러를 통해 입찰하거나(간접 입찰), 직접 입찰할 수 있다. 그럼에도 불구하고 프라이머리딜러는 모든 경매에서 입찰할 의무가 있기 때문에 경매 프로세스에서 핵심적인 역할을 한다. 즉, 프라이머리딜러의 지원이 있기 때문에 국채의 수요 부족으로 인해 경매가 실패하는 일은 절대 없다.

경매의 성공 여부는 경매 낙찰률과 참여 정도에 따라 판단할 수 있다. 낙찰 수익률이 시장에서 예상한 수익률보다 낮고, 제출된 입찰 금액이 경매 대상 국채의 양을 훨씬 초과하는 경우 (높은 낙찰가) 는 매우 성공적인 경매로 볼 수 있다. 또한 프라이머리딜러의 매입 비중이 비교적 낮다는 것은 투자자의 수요가 강하다는 것을 시사한다. 경매 결과는 시장이 국채 수요를 가늠하는 데 도움이 되며, 이는 곧 가격에 영향을 줄 수 있다. 경매 결과가 매우 강세를 보이거나, 매우 약세인 경우 투자자들이 새로운 정보를 바탕으로 가격 전망을 재평가하기 때문에 국채수익률에 불규칙한 변동이 발생하는 경우가 많다. 경매 결과는 각 경매가 끝난 직후 미국 재무부 웹사이트에 공개된다.

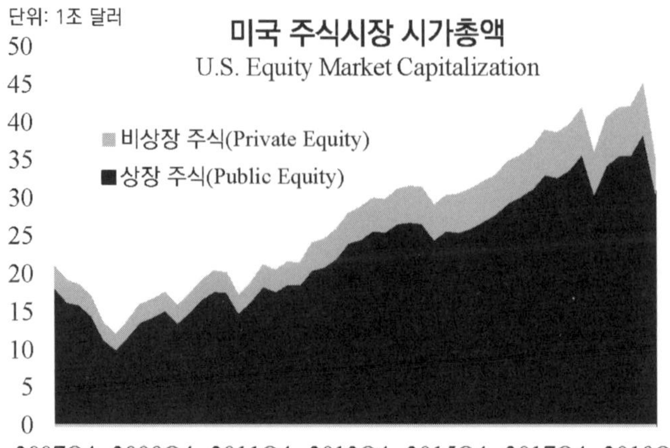

미국 국채는 전 세계적인 투자자 기반을 갖추고 있으며, 외국인은 약 7조 달러의 국채를 보유하고 있다. 이는 부분적으로 달러가 세계 기축 통화의 역할을 하기 때문이다. 세계 각국의 중앙은행은 환전을 용이하게 하고, 통화가치가 크게 평가절하 되는 것을 막기 위해 달러 준비금을 보유해야 하며, 많은 중앙은행들이 미국 국채 형태로 달러 준비금을 보유한다. 예를 들어, 중국은 약 3조 달러의 외환을 보유하고 있는 것으로 추정되며, 그중 상당 부분을 미국 국채로 보유하고 있다. 이는 이타심이 아니라 자국의 이익을 위한 것이다. 중국은 미국을 대상으로 계속해서 대규모 무역 흑자를 내고 있기 때문에 오랜 기간 동안 막대한 양의 달러를 축적해왔다. 중국은 석유와 같은 산업 원자재를 구매하는 등 글로벌 무역에 참여하려면 달러를 보유해야 하며, 중국 인민은행(PBOC)과 같은 대형 기관투자자에게는 미국 국채 외에는 달러에 투자할 수 있는 옵션이 없다. 민간 부문 자산은 신용 위험이 있으며 모든 자금을 보유할 만큼 유동성이 충분하지 않다. 만약 중국 인민은행이 회사채나 주식을 상당량 보유하고 있다면, 상당히 할인된 가격에 매각하지 않는 이상, 보유 자산을 신속히 매각하기 어려울 것이다. 미국 국채와 적당한 양의 기관 MBS가 최선의 선택이다.

외국인이 미국 국채를 상당량 보유하지만, 대부분의 미국 국채는 미국 내 투자자들이 계속 보유한다. 머니마켓펀드는 단기국채의 주요 투자자이며 뮤추얼펀드, 보험사, 연기금은 중장기국채의 주요 투자자이다.

연준은 2008년 양적완화가 시작된 이래로 미국 국채를 가장 많이 매입한 단일 기관이다. 연준의 국채 매입의 목적은 연준이 통제할 수 없는 중장기국채 금리를 낮춰 경기를 부양하는 것이었다. 모든 자산은 부분적으로 국채수익률을 기준으로 가격이 책정되기 때문에 국채수익률이 낮아지면 모기지 대출 금리, 자동차 대출 금리, 기업 대출 금리 등이 낮아진다. 2020년 9월 현재, 연준은 국채 시장 점유율을 20%로 늘렸다. 이는 국채수익률에 하방 압력을 가하는 것은 분명하지만, 여전히 가격 발견의 여지를 남겨두고 있다.

SECTION III Fed Watching

"Inflation is largely a political choice. Any government can create inflation with massive fiscal spending, and any government can create deflation by massively raising taxes."

섹션 III 연준 감시

인플레이션은 주로 정치적 선택이다. 어떤 정부든 대규모 재정지출로 인플레이션을 일으키거나, 세금을 대폭 인상하여 디플레이션을 일으킬 수 있다.

8장 위기통화정책

CHAPTER 8 Crisis Monetary Policy

기존의 통화정책은 중앙은행이 상업은행에 최후의 대출 기관 역할을 하고 단기금리를 사용해 경제활동에 영향을 미치는 방식이다. 재정적으로 건전한 은행이 갑자기 감당하기 어려운 자금 유출이 발생하면 중앙은행이 개입하여 위기를 막기 위해 대출을 제공한다. 경기가 침체되면 중앙은행이 소비와 투자를 장려하기 위해 금리를 낮추고, 경기가 과열되면 경제활동을 억제하기 위해 금리를 인상한다.

하지만 그림자 금융 시스템에 위기가 발생하면 어떻게 될까? 그리고 금리가 이미 0%인 상황에서 중앙은행이 경제활동에 어떤 영향을 미칠 수 있을까? 이는 2008년 금융위기와 2020년 코로나19 위기 당시 연준이 직면한 문제였다. 이에 대응하기 위해 연준은 새로운 여러 도구들을 고안했다.

연준의 민주화
Democratizing the Fed

연준은 상업은행이 금융 시스템의 주축을 이루던 시대에 설립되었기 때문에 자연스럽게 상업은행 부문에 관심이 쏠리게 되었다. 연준은 미국 내 상업은행이 신중하게 운영되도록 규제하고, 예기치 않은 유동성 수요를 충족하기 위해 할인 창구를 통해 긴급 대출을 제공한다. 그러나 그림자 은행과 역외 은행의 성장으로 인해 이제 상당한 규모의 금융 활동이 연준의 권한 밖에서 이루어지고 있다.

2008년, 그림자 금융과 역외 금융 업계에 위기가 찾아왔다. 금융 시스템을 구하기 위해 연준은 연준이 누구에게나 대출할 수 있는 긴급 대출 권한인 섹션 13(3)을 사용할 수 밖에 없었다. 2008년에 그림자 금융 세계는 무너지고 있었다. 프라이머리딜러의 부도, 머니마켓펀드 부도, 자산유동화기관 부도, 헤지펀드 부도가 잇달아 발생했다. 상업은행도 그림자 은행과 깊숙이 얽혀 있었기 때문에 안전하지 않았다. 그들은 그림자 은행의 수많은 채무를 보증했고 상당량의 돈을 빌려주었다. 주식시장 지수는 문제를 감지하고 폭락하고 있었으며 전체 금융 시스템의 붕괴가 곧 다가오고 있었다.

연준은 주요 그림자 금융 부문을 포함하도록 차입자 대상을 대폭 확대하여 위기에 대처했다. 프라이머리딜러(Primary Dealer Credit Facility, 프라이머리딜러 신용창구), 머니마켓펀드(Money Market Investor Liquidity Facility, 머니마켓 투자자 유동성 창구), 자산유동화기관(Asset-Backed

Commercial Paper and Term Auction Securitization Facility, 자산담보부 기업어음 및 기간경매 유동화 창구)을 위한 대출 프로그램과 대형 부실 은행을 위한 특별 대출까지 마련했다. 연준은 사실상 상업은행뿐만 아니라 그림자 은행에도 최후의 대출 기관이 되었다.

미국 밖에서도 역외 달러 뱅킹 시스템에서 비슷한 위기가 발생하고 있었다. 미국 상업은행과 그림자 은행이 서브프라임 모기지 관련 투자 손실로 파산한 것과 마찬가지로 외국 상업은행도 같은 투자로 위기에 처했다. 특히 유럽 은행들은 미국 모기지 관련 자산에 막대한 투자를 해왔고, 이로 인한 손실로 파산할 가능성이 높았다. 그러나 외국 은행은 미국에 있지 않았기 때문에 연준의 영향력에서 훨씬 더 멀리 떨어져 있었다. 연준이 외국 은행들을 구제하는 것은 좋지 않은 선택일 것이다. 그러나 현금을 확보하려는 필사적인 움직임이 달러의 단기금리를 아찔할 정도로 끌어올렸기 때문에 미국 시장에 미친 영향은 부인할 수 없다.

시장 참여자는 보통 단기금리 시장에서 스트레스를 측정하는데, 3개월 리보금리(3-Month LIBOR)를 벤치마킹한 시장금리와 향후 3개월간 예상되는 평균 연방기금금리인 3개월 오버나이트 인덱스 스왑(3-Month Overnight Index Swap) 사이의 스프레드가 사용된다. 스프레드가 넓다는 것은 시장금리가 연준의 정책금리보다 훨씬 높다는 의미이며, 이는 금융위기를 뜻한다. 호황기에는 스프레드가 0보다 약간 높지만, 금융위기가 심할 때는 약 4%로 사상 최고치를 기록했다. 투자자들은 외국 은행에 대출을 제공하는 것을 두려워했고, 외국 은행은 3개월짜리 대출에도 극도로 높은 금리를 제공해야 했다.

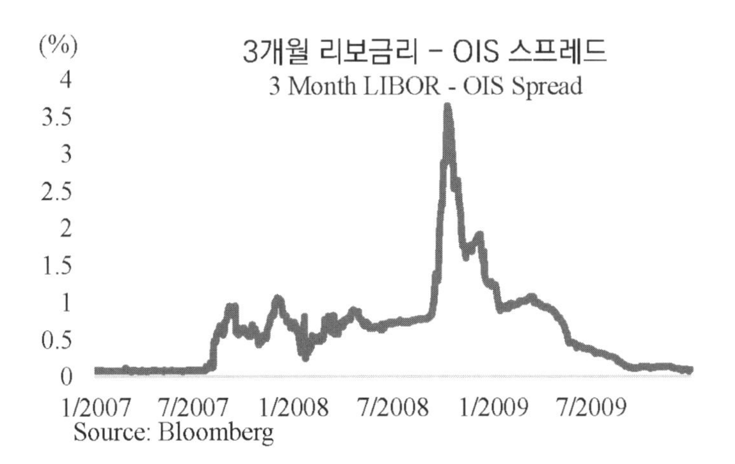

결국 연준은 우호적인 외국 중앙은행들과 중앙은행 스왑 라인을 구축하여 외국 은행에 대출을 제공하기로 결정했다. 연준이 외국 중앙은행에 달러를 빌려주면, 해당 중앙은행은 다시 그들의 관할권에 있는 은행에 대출을 해주는 방식이었다. 스왑 라인은 글로벌 달러 뱅크런을 해결했지만, 본질적으로 미국 안팎에서 연준을 글로벌 달러 시스템의 후원자로 만들었다.

연준의 특별 대출 창구를 모니터링 하는 방법
How to Monitor Fed Special Lending Facilities

연준은 웹사이트의 H.4.1 릴리스를 통해 주간 단위로 대차대조표를 공개한다. 이 값은 주간 평균과 수요일 스냅샷이다. 아래는 2020년 7월 2일의 H.4.1 스냅샷이다.

Repurchase agreements (6)	75,379	+	2,250	+	75,379	61,201
Foreign official	144	+	144	+	144	1,001
Others	75,236	+	2,107	+	75,236	60,200
Loans	96,886	+	2,928	+	96,785	97,133
Primary credit	5,877	-	1,246	+	5,859	5,860
Secondary credit	0		0		0	0
Seasonal credit	13	+	1	-	70	16
Primary Dealer Credit Facility	2,616	-	1,364	+	2,616	2,486
Money Market Mutual Fund Liquidity Facility	21,617	-	1,851	+	21,617	20,637
Paycheck Protection Program Liquidity Facility	66,763	+	7,389	+	66,763	68,133
Other credit extensions	0		0		0	0
Net portfolio holdings of Commercial Paper Funding Facility II LLC (7)	12,799	+	2	+	12,799	12,799
Net portfolio holdings of Corporate Credit Facilities LLC (7)	41,359	+	1,403	+	41,359	41,940
Net portfolio holdings of MS Facilities LLC (Main Street Lending Program) (7)	37,502	+	4,822	+	37,502	37,502
Net portfolio holdings of Municipal Liquidity Facility LLC (7)	16,080	+	1	+	16,080	16,081
Net portfolio holdings of TALF II LLC (7)	8,753	+	1,467	+	8,753	8,753
Float	-497	-	314	+	104	-756
Central bank liquidity swaps (8)	226,803	-	49,894	+	226,786	225,414

이 발표 자료에서 코로나19 패닉 기간 동안 시행된 모든 연준의 주요 대출 프로그램들의 규모를 확인할 수 있다. 데이터에 따르면 긴급 신용 창구(emergency credit facility)는 드물게 사용되었으며, 가장 많이 사용된 것은 750억 달러의 레포 대출과 667억 달러의 급여 보호 프로그램 유동성 공급 창구(The Paycheck Protection Program Liquidity Facility, 줄여서 PPPLF)였다. 일부 상황에서는 연준의 신용창구의 존재만으로도 시장을 진정시켜 시장 기능을 회복할 수 있다. 시장 참여자들은 연준이 시장을 지지하고 있다는 것을 알기 때문에 예기치 못한 리스크는 적다. 신용창구의 사용이 적다고 해서 불필요하거나 효과가 없다는 뜻은 아니다.

한 가지 주목할 만한 예외는 외환스왑 라인이다. 연준의 외환스왑 라인은 이날 2,260억 달러가 발행되었고 크게 사용된 것으로 나타났다. 연준의 스왑 라인 사용에 대한 자세한 내역은 뉴욕 연준 웹사이트에서 확인할 수 있으며, 일본은행이 외환스왑의 주요 사용처로 밝혀졌다. 일본 투자자들은 외환스왑 시장을 통해 자금을 조달하는 달러 자산을 상당량 보유하고 있기 때문에 이는 예상치 못한 일이 아니다. 따라서 달러 자금 시장에 혼란이 발생할 경우 일본은 긴급 자금이 필요할 가능성이 가장 높다.

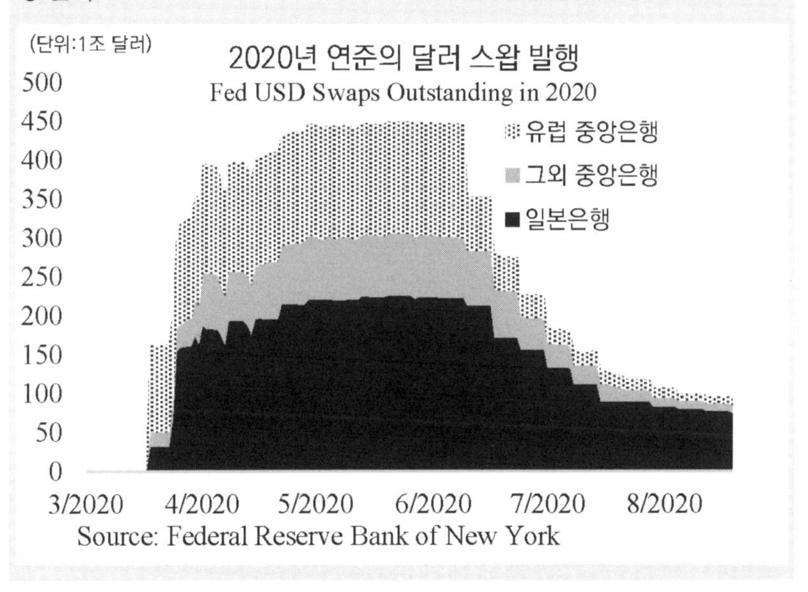

이러한 조치의 최종 결과는 금융 시스템의 안정화와 연준이 상업은행, 그림자 은행, 심지어 외국 은행에 대한 최후의 대출 기관이 되는 선례를 남기는 것이었다. 2020년 코로나19 위기 기간 동안 연준은 2008년 위기 당시의 13(3) 조항의 대출 창구들을 거의 모두 신속하게 시행하면서 이러한 선례를 더욱 공고히 확립했다. 심지어 연준은 한 걸음 더 나아가 민간 기업에 대한 최후의 대출 기관이라는 책임을 스스로 떠맡았다.

2020년 3월과 4월에 연준은 상업은행을 통한 중소기업 대출과 자본시장을 통한 대기업 대출을 제공하도록 설계된 새로운 프로그램을 발표했다.[100] 1차 및 2차 기업 대출 창구(The Primary and Secondary Corporate Facilities)는 1차 및 2차 시장에서 회사채를 매입하고, 메인 스트리트 대출 창구(The Main Street Lending Facility)는 상업은행이 중소기업에 제공한 적격 대출을 매입하겠다고 제안했다. 연준은 상업은행에 유동성을 공급하는 전통적인 역할을 넘어 사실상 모든 미국 기업에 유동성을 제공하게 된 것이다. 개인을 제외한 거의 모든 사람에게 대차대조표에 대한 접근 권한을 제공했다.

연준의 대출 권한 확대에 대한 일반적인 비판 중 하나는 '도덕적 해이(moral hazard)'이다. 도덕적 해이란 자신이 결과에 대한 책임이 없다는 것을 알기 때문에 무모하게 행동하는 것이다. 2008년 위기 당시 많은 논평가들은 나쁜 결정을 내린 투자자에게 구제금융을 제공하면 더 나쁜 의사결정을 조장할 수 있다고 주장했다. 그 이유는 투자자들이 연준이 구제해 줄 것이라고 생각하기 때문이다. 이러한 생각은 투자 은행인 리먼 브라더스의 파산을 허용하는 결정으로 이어졌다. 리먼 브라더스의 실패는 금융자산의 급격한 하락을 초래했고 도덕적 해이를 두려워하는 사람들조차 막을 수 없을 정도로 무서운 상황으로 치닫았다.

연준은 도덕적 해이를 다른 방식으로 해결하기로 결정했다. 바로 규제

---

100 "Federal Reserve Announces Extensive New Measures to Support the Economy." Press Release. Board of Governors of the Federal Reserve System, March 23, 2020. https://www.federalreserve.gov/newsevents/pressreleases/monetary20200323b.htm; "Federal Reserve Takes Additional Actions to Provide up to $2.3 Trillion in Loans to Support the Economy." Press Release. Board of Governors of the Federal Reserve System, April 9, 2020. https://www.federalreserve.gov/newsevents/pressreleases/monetary20200409a.htm

이다. 금융위기 이후 연준과 전 세계 규제 당국은 은행이 이전과 같은 수준의 위험을 감수할 수 없도록 훨씬 더 엄격한 규제를 시행했다. 따라서 은행들은 또다시 연준의 구제금융을 필요로 할 가능성이 거의 없게 되었다. 미국의 상업은행들이 코로나19 패닉을 별다른 문제없이 헤쳐 나갔기 때문에 이러한 개혁은 성공한 것으로 보인다.

새로운 규제는 프라이머리딜러, 머니마켓펀드 등 주요 그림자 금융을 개혁하는 데도 적용되었다. 이들 부문도 코로나 19 위기를 무난하게 극복했으며, 프라임 머니마켓펀드만 약간의 어려움을 겪었다. 그러나 모기지리츠, ETF, 사모투자펀드는 강화된 규제를 적용 받지 않았다. 이러한 기업들 중 다수는 코로나19 위기 기간 동안 막대한 손실을 입었고 연준의 조치 덕분에 겨우 살아남을 수 있었다.

수익률 곡선의 연결

Reaching Across the Curve

2008년 연준은 오버나이트 금리가 0%인 제로 하한선에 도달했다. 이는 표면적으로는 연준이 더 이상 금리를 낮출 수 없어 통화정책이 무력화해질 것처럼 보였다. 하지만 연준은 '포워드 가이던스(forward guidance)'와 '양적완화(quantitative easing)'라는 두 가지 새로운 도구를 도입함으로써 모두를 놀라게 했다.

포워드 가이던스는 연준이 금리에 대한 통제력을 단기금리에서 중기금리까지 확대할 수 있는 방법이다. 연준은 구두로 정책금리를 장기간 낮게 유지하겠다고 약속한다. 따라서 만약 시장이 연준의 말한 것을 믿는다면, 현재부터 중기까지 금리 인상을 자산 가격에 반영하지 않을 것이므로 중기 금리도 낮아져야 한다. 경기 침체기의 수익률 곡선은 일반적으로 2년 만기 국채수익률이 오버나이트 정책금리(overnight policy rate)보다 높은 우상향 곡선을 그린다. 이는 경기가 서서히 반등하고 연준이 정책금리를 인상하여 향후 오버나이트 금리가 현재보다 높아질 것으로 시장이 예상하기 때문이다. 경기가 회복되더라도 연준이 정책금리를 낮게 유지하겠다고 약속하기 때문에 포워드 가이던스에 따라 곡선이 훨씬 더 평평해진다.

2019년 6월에는 국채수익률 곡선이 역전되어 단기 경기 침체를 암시했고 연준이 곧 오버나이트 금리를 인하하여 곡선이 더 가파르게 될 것이라는 신호를 보냈다. 1년 후, 경기 침체가 도래했고 곡선은 가팔라지고 평평해졌다. 파월 의장은 2020년 6월 기자 회견에서 "금리 인상을 고려할 생각조차 하지 않고 있다 (we're not even thinking about thinking about raising rates)"고 말했다.[101] 시장은 향후 몇 년 동안의 금리 인상 가능성을 자산 가격에 반영하지 않았다.

---

101 Powell, Jerome. "Transcript of Chair Powell's Press Conference." Press Conference. Board of Governors of the Federal Reserve System, June 10, 2020. https://www.federalreserve.gov/mediacenter/files/FOMCpresconf20200610.pdf

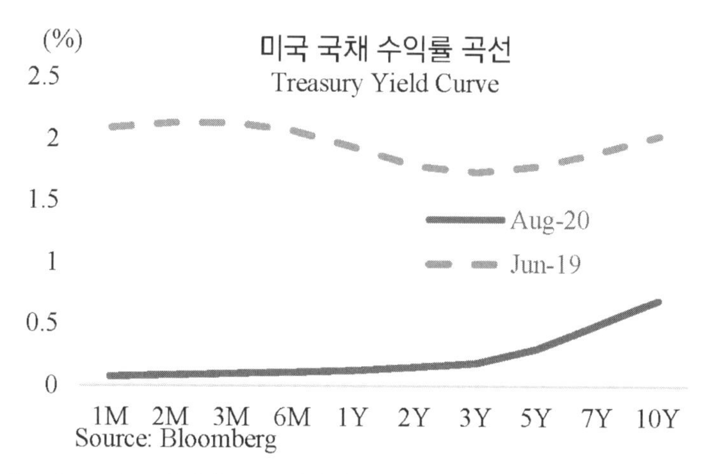

연준이 포워드 가이던스를 실행하는 방법에는 여러 가지가 있다. 특정 경제 성과 목표가 달성될 때까지, 또는 특정 기간 동안 금리를 낮게 유지하기로 약속하여 이를 실행할 수 있다. 예를 들어, 연준은 인플레이션이 2% 이상으로 계속해서 상승할 때까지, 실업률이 4% 미만으로 떨어질 때까지 또는 최소 2년 동안 금리를 제로 금리로 유지하기로 약속할 수 있다. 2008년 위기 이후 연준은 두 가지 종류의 가이던스를 모두 사용했으며, 처음에는 기간에 의존하다가 이후에는 경제 목표에 더 많이 의존했다. 포워드 가이던스는 시장에서 잘 이해되는 것처럼 보였지만, 시장 참여자들이 경제 지표의 변화를 연준의 행동과 직접 연결하기 때문에, 주요 데이터 발표가 있을 때 마다 변동성이 커지는 것으로 나타났다.

양적완화는 연준이 만기가 긴 국채를 매입하여 장기금리를 통제하고 해당 채권의 수익률을 낮추는 방법이다. 양적완화가 처음 발표되었을 때 당연히 엄청난 논란을 불러일으켰다. 많은 사람들이 임박한 하이퍼 인플레이션을 우려했고 금값이 급등했다. 물론 하이퍼 인플레이션은 발생하지 않았다. 중앙은행 준비금을 발행하여 미국 국채를 매입하는 것은 100달러 지폐를 발행하여 다른 100달러 지폐를 사는 데 사용하는 것과 같다. 시스템 내 통화량은 변하지 않았고 단지 그 구성만 바뀐 것이다. 이제 미국 국채는 줄어들고 중앙은행 준비금이 늘어난 상태였다.

연준이 실시한 연구에 따르면 양적완화가 장기금리를 낮추는 데 효과적이었으며, 이는 경제활동을 촉진하는 데 도움이 되었다.[102] 연구 결과를 제외하고도 기본적인 수요와 공급 작용에 따르면 수조 달러의 국채를 매입하면 국채 가격에 업사이드(국채수익률 하방 압력)로 작용할 것으로 예상된다. 하지만 양적완화 역시 큰 부작용은 없는 것으로 나타났다. 10년 넘게 양적완화를 사용해 온 연준은 양적완화에 익숙해졌고, 코로나19 위기 상황에서 양적완화를 대규모로 시행했다.

포워드 가이던스와 양적완화는 모두 10년 넘게 사용되면서 비전통적인 연준의 도구에서 전통적인 도구로 바뀌었다. 두 가지 모두 금리 수준에 영향을 미치는 데 효과적인 것으로 입증되었다. 2020년 연준은 수익률 곡선 컨트롤(Yield Curve Control, 줄여서 YCC)에 대한 예비 논의를 시작했으며, 이는 잠재적으로 금리를 더욱 정밀하게 통제할 수 있게 해줄 것이다. YCC는 중앙은행이 금리에 대한 구체적인 목표 수치를 발표하는 것이다. YCC는 실제로 제2차 세계대전 당시 연준이 금리를 낮게 유지하

---

102 Kim, Kyungmin, Thomas Laubach, and Min Wei. "Macroeconomic Effects of Large-Scale Asset Purchases: New Evidence." Finance and Economics Discussion Series 2020-047. Washington: Board of Governors of the Federal Reserve System, March 2020. https://doi.org/10.17016/FEDS.2020.047

여 전쟁을 지원하고자 할 때 처음 사용되었다. YCC에 따른 금리 통제는 중앙은행의 채권 매입 감소로 이어질 가능성이 높다. 그 이유는 시장 참여자들이 중앙은행이 무제한 매입을 통해 금리 목표를 달성할 의지와 능력이 있다는 것을 알기 때문이다.[103]

YCC는 중앙은행 커뮤니티에서 주목받고 있는 새로운 통화정책 수단 중 하나이다. 일본은행은 2016년에 10년 만기 일본 국채의 수익률을 약 0%로 고정하겠다고 발표하면서 주요 중앙은행 중 최초로 YCC를 시행했다. 흥미로운 점은 일본은행이 금리를 낮게 유지하기 위해서가 아니라 금리를 올리기 위해 YCC를 발표했다는 점이다. YCC 이전에는 10년물 일본 국채의 금리가 마이너스 0.5% 금리 내외에서 거래되었다. 일본은행은 10년물 국채금리를 인상함으로써 일본 국채의 수익률 곡선이 가파르게 상승하여 상업은행의 대출을 촉진할 것으로 기대했다. 일본은행 YCC를 성공적으로 시행하고 있으며, 일본 국채의 수익률은 발표 이후 0% 내외의 좁은 범위 내에서 머물고 있다.

2020년 초, 호주 중앙은행(RBA)은 YCC를 시행한 두 번째 주요 중앙은행이 되었다. 호주 중앙은행은 3년 만기 호주 국채의 수익률을 0.25%로 고정하겠다고 발표했다. 이 발표만으로도 3년 만기 금리를 0.25%로 이동시키기에 충분했다. 정책의 의도는 호주의 모기지와 기업 부채의 대부분이 3년 만기이기 때문에 저금리를 통해 경제를 활성화하는 것이었다. 호주 중앙은행은 발표 한 번으로 이 목표를 달성할 수 있었다.

---

103 시장은 중앙은행의 목표에 따라 행동할 것이기 때문에 중앙은행의 조치를 선제적이고 효과적으로 만들며, 중앙은행은 목표 금리를 유지하기 위해 많은 채권을 매입하지 않아도 될 것이다.

금리를 낮추는 것이 정말 효과가 있을까?
Does Lowering Interest Rates Really Work?

현대 중앙은행의 신조는 저금리가 경제성장을 촉진한다는 것이며, 이것이 바로 경기 침체기에 중앙은행이 서둘러 금리를 낮추려고 하는 이유이다. 그러나 금리와 경제성장은 음의 상관관계가 아니라 양의 상관관계가 있기 때문에 금리가 경제성장과 함께 상승하는 경향이 있다는 증거가 존재한다.[104] 이는 지난 10년간 많은 선진국에서 저금리(심지어 마이너스 금리)가 의미 있는 경제성장을 창출하지 못한 이유를 부분적으로 설명한다.

만약 중앙은행이 없다고 가정해 보자. 경제가 호황을 누리고 낙관론이 팽배할 때는 대출에 대한 수요가 많다. 사람들은 미래에 대한 확신을 갖고 금리가 높더라도 돈을 빌리고 싶어 한다. 이렇게 돈의 수요가 증가하면 이자율이 높아진다. 반면에 경제 위기 폭풍이 몰아치고 사람들이 미래에 대한 확신을 갖지 못하면 돈을 빌리지 않는다. 사람들은 더 어려운 시기를 예상하고 대출금을 갚으려고 한다. 돈의 수요가 감소하면 금리도 하락한다. 연준이 없어도 금리는 여전히 경기 사이클을 따를 것이다.

---

104 Lee, Kang-Soek, and Richard A. Werner. "Reconsidering Monetary Policy: An Empirical Examination of the Relationship Between Interest Rates and Nominal GDP Growth in the U.S., U.K., Germany and Japan." Ecological Economics 146 (April 2018): 26–34. https://doi.org/10.1016/j.ecolecon.2017.08.013

연준은 단기금리를 통제하고 이는 장기금리에 영향을 미친다. 연준이 금리를 낮추면 차입자는 일반적으로 기업 대출이나 모기지 대출에서 약간의 돈을 절약할 수 있다. 기업이나 소비자는 6%의 금리로는 대출을 받지 않겠지만, 4%의 금리로 대출을 받을 것이다. 하지만 만약 3%의 금리로도 대출을 받지 않는다면 2%의 금리로 대출을 받으려고 할까? 금리를 낮추면 경제가 활성화되더라도 그 효과는 줄어들 가능성이 높다.

일본과 유로존은 저금리를 한 단계로 끌어올려, 자신들의 경제 모델을 충실히 따르면서 금리를 마이너스 영역으로 가져갔다. 유럽중앙은행의 경제학자들은 마이너스 금리가 기업의 자금을 사라지게 만드는 것이 아니라, 투자를 유도하여 성장을 촉진한다고 믿는다.[105] 어떤 의미에서 마이너스 금리는 현금에 부과하는 세금과 같아서 지출을 강제하는 역할을 한다. 유럽중앙은행의 연구에도 불구하고 유로존 경제는 수년 동안 저조한 성장률을 기록해 왔다.

마이너스 금리는 은행 수익성에 부정적인 영향을 미치는 것으로 보인다. 마이너스 금리는 중앙은행 준비금에 적용되므로 전체적으로 은행 부문의 수입을 감소시킨다. 또한 전체 금리 곡선을 더 낮게 이동시켜 대출 금리가 낮아진다. 특히 유럽 은행들은 10년 넘게 주가 하락에 시달

---

105 Altavilla, Carlo, Lorenzo Burlon, Mariassunta Giannetti, and Sarah Holton. "Is There a Zero Lower Bound? The Effects of Negative Policy Rates on Banks and Firms." Working Paper No. 2289. European Central Bank, June 2019. https://www.ecb.eu-ropa.eu/pub/pdf/scpwps/ecb.wp2289~1a3c04db25.en.pdf

리고 있는 반면, 미국 은행들의 주가는 2008년 고점을 넘어설 수 있었다. 은행 부문에 대한 부정적인 영향은 미국 정책 입안자들이 마이너스 금리 시행을 주저하는 이유 중 하나이다. 경제성장에 자금을 조달하는 대출을 만들기 위해서는 건강한 은행 부문이 필요하다.

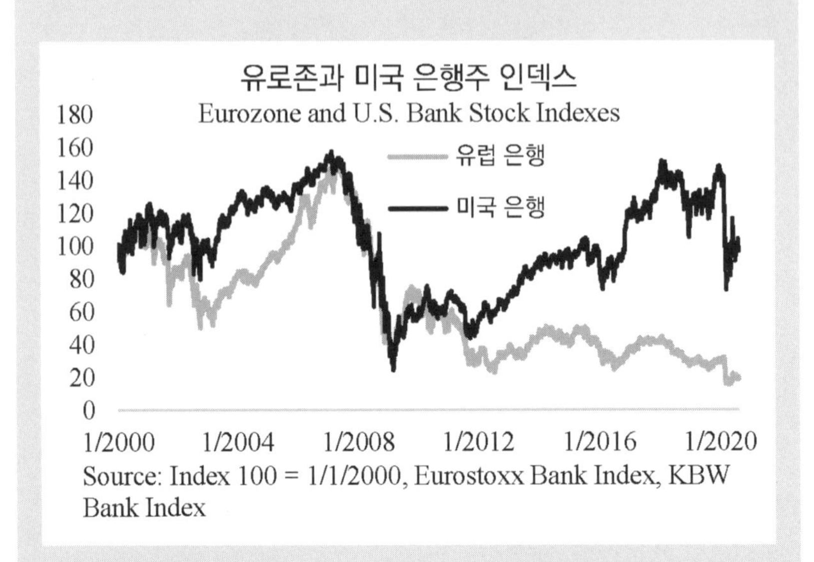

Source: Index 100 = 1/1/2000, Eurostoxx Bank Index, KBW Bank Index

그러나 단기금리가 낮거나 마이너스가 되면 금융자산에 엄청난 영향을 미칠 수 있다. 많은 투기꾼들이 초단기 대출을 이용해 금융자산을 매수하기 때문이다. 연준이 오버나이트 금리를 1% 인하하면 오버나이트 레포금리와 주식시장 마진 이자(margin interest rates)[106]에 전부 반영된다. 투자자가 2%의 레포 대출을 이용해 3% 이자를 받는 100만 달러의 채권을 매수했다고 가정해 보자. 단기금리가 1% 하락하면 이자 비용이

---

106 트레이더 또는 투자자가 주식 마진 거래를 위해 빌린 자금에 대해 지불하는 이자

50% 감소하고 이자 마진이 크게 확대된다. 이자 비용이 낮아졌기 때문에 투자자는 심지어 더 낮은 수익률(따라서 더 높은 채권 가격)로 채권을 구매할 의향도 있을 것이다.

지난 10년간의 경험에 비추어 볼 때, 금리가 낮아지면 금융자산이 증가하는 것처럼 보이지만 반드시 실질적인 경제성장으로 이어지지는 않는다.

9장 연준 감시법
CHAPTER 9 How to Fed Watch

연준의 결정이 시장에 미치는 영향력이 커지면서 '연준 감시자(Fed Watchers)'라는 전문 분야가 생겨났다. '전략가(Strategist)' 또는 '경제학자(Economist)'라는 직함을 가진 이들은 주로 연준에서 몇 년간 근무한 후 투자은행에 입사하여 수입을 두 배로 늘리기로 결정한 사람들이다. 이들은 연준의 조치를 분석하는 데 시간을 할애한 다음 고액자산가나 대형 기관투자자와 분석을 공유한다. 또한 CNBC나 블룸버그에 출연하여 향후 연준의 조치에 대해 추측하기도 한다. 때때로 그들은 훌륭한 인사이트를 가지고 있지만, 그들이 하는 일의 대부분은 올바른 정보와 교육을 받은 사람이라면 누구나 수행할 수 있다. 이 장에서는 여러분께 연준 감시법의 기본을 알려 줄 것이다.

2008년 금융위기 이전에는 연준의 조치가 매우 불투명했다. 실제로 연준의 금리 결정에 시장이 놀랄 때가 있었다. 이제 시장은 연준의 행동을 정확하게 예측한다. 이는 연준이 시장과 생각을 공유하여 투명성을 개선하려는 노력 덕분이다. 연준 감시자의 기본은 연준이 현재 어떤 생각을 하고 있는지 파악한 다음, 연준이 앞으로 어떻게 행동할지 예측하는 것이다. 아래 섹션에서는 연준이 시장과 소통하는 데 사용하는 채널을 살펴볼 것이다.

연준의 의사소통과 중요성 (Fed Communication and Importance)	
FOMC 성명서 (FOMC Statement)	높음
FOMC 기자회견 (FOMC Press Conference)	높음
FOME 회의록 (FOMC Minutes)	높음
FOMC 점도표 (FOMC "Dot Plot")	높음
연준 공식 발표 (Fed Official Speeches)	보통
연준 인터뷰 (Fed Interviews)	보통
데스크 운영 성명서 (Desk Operating Statements)	보통
연준 대차대조표 (Fed Balance Sheet)	보통
연준 리서치 (Fed Research)	낮음
연준 설문조사 (Fed Surveys)	낮음

FOMC 성명서

FOMC Statement

연방공개시장위원회(FOMC)는 매 회의가 끝나면 성명서를 발표한다. 성명서에는 경제 상황에 대한 FOMC의 견해와 그들이 두 가지 임무를 달성하기 위해 취하고 있는 조치가 간략하게 요약되어 있다. 성명서는 한 페이지를 넘지 않는 분량이지만 정확한 메시지를 전달하기 위해 매우 신중하게 작성된다. 시장 평론가들은 현재와 이전 성명을 비교하여 약간의 문구 변경으로 인한 FOMC의 견해 변화를 측정한다. 기밀이 해제된 FOMC 자료를 보면 짧은 성명서에 얼마나 많은 고민이 담겨 있는지 알 수 있다.

다음 페이지의 표는 2014년 1월 FOMC 회의를 위해 작성된 틸북 B(Tealbook B)에서 가져온 것이다. 공식적으로 '통화정책: 전략과 대안(Monetary Policy: Strategies and Alternatives)'으로 알려진 틸북 B는 각 회의를 위해 준비된 브리핑으로, FOMC에 다양한 정책 옵션들을 제시한다. 이 브리핑은 기밀로 분류되어 있지만 발행 후 몇 년이 지나면 기밀이 해제되어 일반 대중에 공개된다. 기밀이 해제된 브리핑을 보면, 마치 모험 대본을 고르는 것처럼 비둘기파적 성향의 정도에 따라 다양한 옵션이 FOMC에 제시되었음을 알 수 있다. 이 옵션들은 연준이 어떤 정책을 펼칠지에 대한 미묘한 뉘앙스를 나타낸다. 언어와 관련하여 각 옵션은 경제에 대한 낙관적인 정도를 다양하게 표현한다. 대차대조표 정책 측면에서 각 옵션은 연준의 양적완화 속도를 조정하여 완화 정도를 다양하게 보여준다. 연방기금금리와 관련하여 각 옵션은 연준이 금리를 얼마나 빨리 인상할 수 있는지에 대해 매우 미묘한 차이를 나타낸다.

각 회의에서 FOMC는 현재 브리핑을 검토하고 경제에 대한 견해를 논의한 다음 어떤 조치를 취할지 투표한다.

Table 1: Overview of Policy Alternatives for January FOMC Statement

Selected Elements	December Statement	January Alternatives A	January Alternatives B	January Alternatives C
Economic Conditions, Outlook, and Risks				
Economic Conditions	economic activity is expanding at a moderate pace	growth in economic activity picked up in recent quarters		
	labor market conditions have shown further improvement	labor market indicators were mixed		unchanged
	the unemployment rate has declined but remains elevated	the unemployment rate declined but remains elevated		the unemployment rate, though still elevated relative to levels judged consistent with dual mandate over the longer-run, continued to decline
	fiscal policy is restraining growth, although the extent of restraint may be diminishing	fiscal policy is restraining growth, although extent of restraint is diminishing		extent to which fiscal policy is restraining growth **is** diminishing
	inflation has been running below the longer-run objective	inflation has been running **well** below objective	unchanged	
Outlook	economic growth will pick up; unemployment rate will gradually decline	economic activity will expand at a moderate pace; unemployment rate will gradually decline		
Risks	risks have become more nearly balanced	risks nearly balanced but still tilted slightly to the downside	risks nearly balanced	
Balance Sheet Policies				
Agency MBS	$35 billion/month	unchanged	$30 billion/month	$25 billion/month
Treasuries	$40 billion/month	unchanged	$35 billion/month	$30 billion/month
Rationale for Purchases	cumulative progress toward maximum employment and improvement in outlook for labor market	information received about labor market and inflation does not warrant a reduction in pace	unchanged	continuing progress toward maximum employment and outlook for ongoing improvement in labor mkt
Purchase Guidance	if incoming information broadly supports expectations, will likely reduce pace in further measured steps at future meetings . . .	. . . will likely reduce pace **in measured steps** at future meetings . . .	unchanged	. . . will likely **continue to reduce pace** at future meetings . . .
Federal Funds Rate				
Target	0 to ¼ percent	unchanged		
Rate Guidance	at least as long as thresholds (6½ percent; 2½ percent) are not crossed and inflation expectations remain well anchored	unchanged		
	anticipates it likely will be appropriate to maintain current target for FFR well past time that unemployment threshold is crossed, especially if projected inflation continues to run below 2 percent	likely will be appropriate to maintain current target for FFR at least until the unemployment rate declines below [6 percent especially if [5½ percent so long as] projected inflation continues below 2 percent	**continues to** anticipate it likely will be appropriate to maintain current target for FFR well past time that unemployment threshold is crossed . . .	unchanged
	when begin to remove accommodation, will take balanced approach	when **eventually** begin to remove accommodation, will take balanced approach	unchanged	

FOMC 기자 회견

FOMC Press Conference

각 FOMC 회의는 오후 2시 30분(미국 동부 표준시)부터 1시간 동안 연준 의장이 언론의 질문을 받는 기자회견으로 마무리된다. 이 기자회견은 연준 커뮤니케이션의 가장 중요한 부분 중 하나이다. 이 자리에서 연준 의장은 다양한 주제에 대해 질문을 받고 시장은 이에 대한 연준 의장의 최신 의견을 접할 수 있다. 더욱이 이는 FOMC에서 제공하는 다른 의사소통 채널과는 달리 편집과 검토를 거치지 않는 즉석 연설이라는 점이다. 시장은 연준 의장의 반응을 관찰하고 연준 의장의 말을 해석하여 향후 연준의 행동을 추측한다. 연준 의장도 FOMC 회의가 시장을 이끌 수 있는 기회라는 것을 알고 의도적으로 단어를 선택할 수 있다.

이전 장에서 설명했듯이 파월 의장은 2020년 6월 FOMC 기자회견에서 금리를 인상하지 않을 뿐만 아니라 "금리 인상을 고려할 생각조차 하지 않고 있다."고 언급했다. 깊은 경기 침체가 다가올 것으로 예상되는 상황에서 파월 의장은 이 기회를 통해 금리가 매우 오랫동안 제로에 머물 것이라는 신호를 시장에 보냈다. 연준은 단기금리를 컨트롤하지만 장기금리에는 영향만 줄 수 있다는 점을 기억하자. 연준 의장은 시장에 단기금리가 오랫동안 낮게 유지될 것이라고 말함으로써 장기금리를 낮추려는 통화정책을 수행하고 있었으며, 시장이 오랫동안 금리 인상을 (자산) 가격에 반영하지 않기를 원했다.

FOMC 회의록
FOMC Minutes

각 FOMC 회의록은 회의가 열리고 3주 후에 공개된다. 회의록을 통해 FOMC에 어떤 정보가 제출되었는지, 회의에서 어떤 내용을 논의했는지 엿볼 수 있다. FOMC 성명서는 간결하지만 회의록은 보통 10페이지 정도이다. 성명서와 마찬가지로 회의록은 특정 메시지를 전달하기 위해 매우 신중하게 작성되며, 연준은 FOMC 회의록에 대한 시장의 반응을 주의 깊게 모니터링한다.

회의록의 첫 번째 부분에서는 회의 기간 동안 경제 및 금융 상황을 검토하고, 경제 상황에 대한 예측이 있으며, 마지막으로 FOMC 참여자가 자신의 견해를 논의하는 부분이 있다. 처음 두 부분은 데스크와 연준의 직원이 함께 작성한다. 회의 간 상황에 대한 검토는 대부분 사실에 근거하지만, FOMC의 경제 전망은 향후 연준의 조치를 알리는 데 유용하다. 만약 경제 전망에 대한 평가가 비관적이라면, 연준이 보다 완화적인 통화정책을 펼칠 것을 시사한다.

회의에서 경제 상황에 대한 브리핑을 받더라도 각 FOMC 위원들은 각자의 경제학자를 두고 있으며, 각자의 지역구에서 보는 데이터에 따라 서로 다른 견해를 가질 수 있다. 회의록에는 회의 중에 진행된 논의 중 일부가 익명 처리된 상태로 공개된다. '과반수(majority)' 또는 '일부(a number)' 또는 '몇 명(couple)'과 같은 단어를 사용하여 각 견해에 대한 지지를 정량화 함으로써, 독자는 FOMC 참가자들이 보유한 전반적인 관점을 파악할 수 있다. 회의록의 모든 단어는 신중하게 작성되며 의도한 메시지가 전달될 수 있도록 여러 단계의 검토를 거친다는 것을 기억하자.

예를 들어, 2020년 7월 FOMC 회의록에는 다음과 같은 내용이 언급되어 있다.

> "참가자들 **대다수(majority)**는 통화정책 도구로써 금리 상한이나 목표 수익률(수익률 곡선을 따라 목표 금리를 설정하거나 금리를 제한하는 방식)에 대해 언급했다. 이 옵션에 대해서 논의한 참가자 중 **대부분(most)**은 연방기금금리의 향방에 대한 FOMC의 포워드 가이던스가 매우 신뢰할 만하고 장기금리가 이미 낮은 수준이기 때문에 금리 상한과 목표 금리가 현재 환경에서 약간의 이점만 제공할 것이라고 판단했다. 또한 **많은(many)** 참가자가 금리 상한과 목표 금리와 관련된 잠재적 비용을 지적했다."[107]

이 부분은 독자들에게 '수익률 곡선 컨트롤(YCC)'이 FOMC 내에서 얼마나 강력하게 지지되었는지를 알리기 위해 작성되었다. 수익률 곡선 컨트롤은 이전 몇 달 동안 FOMC 위원들이 자주 논의했지만, 회의록에 따르면 FOMC의 지지가 강하지 않은 것으로 나타났다. 회의록 발표 후 국

---

107 "Minutes of the Federal Open Market Committee, July 28-29, 2020." Board of Governors of the Federal Reserve System, August 19, 2020. https://www.federalreserve.gov/monetarypolicy/files/fomcminutes20200729.pdf (Emphasis added.)

채금리가 상승했는데, 이는 일부 시장 참여자들이 새로운 정보에 따라 투자 금액을 조정했음을 시사한다.

회의록은 종종 향후 몇 달 동안의 정책 움직임을 예고한다. 예를 들어, 2018년 1월 FOMC 회의록에는 연방자금시장을 통제하기 위해 은행 준비금에 지급하는 이자에 대한 '기술적 조정(technical adjustment)'에 대한 논의가 있었다. 이 기술적 조정은 당시 기자회견에서는 논의되지 않았지만 나중에 시행되었다. 2020년 4월 FOMC 회의록에는 연준 레포 대출 금리 인상에 대한 논의가 포함되어 있다. 이 역시 당시 기자회견에서는 논의되지 않았지만 나중에 시행되었다. 연준 감시자들은 회의록에서 단서를 발견하고 이러한 정책들의 시행을 미리 예상하고 있었다.

FOMC 점도표

FOMC "Dot Plot"

2007년 말부터 연준은 3월, 6월, 9월, 12월 FOMC 회의에서 매 분기마다 '경제 전망 요약(Summary of Economic Projections)'을 통해 다양한 경제 전망을 발표하기 시작했다. 경제 전망 요약에는 실질 경제성장률, 인플레이션, 실업률에 대한 전망이 포함되었다. 2012년 후반에 연준은 연방기금금리가 어디로 갈지에 대한 예측을 추가했다. 각 FOMC 참가자의 예측은 해당 연도 말에 적절한 정책 목표 범위가 어디가 될 것이라고 생각하는지 점의 형태로 표시된다. 예상치 그래프는 점으로 이루어진 도표처럼 보인다.

'점도표'는 향후 정책금리의 궤적이 어떻게 될지, FOMC 참가자들의 견해가 얼마나 분산되어 있는지를 엿볼 수 있기 때문에 시장을 움직이는 데이터 발표이다. 이는 경제 전망보다 더 구체적인데, 전망치가 금리 조정으로 해석되기 때문이다. 점도표에 일치하는 의견이 많을수록 시장은 향후 연준의 조치를 더 강하게 반영할 것이다. 그러나 점도표가 항상 앞으로 일어날 일을 잘 예측하는 것은 아니다.

2018년 12월 연준의 점도표에 따르면 FOMC 위원들 다수가 2019년에 세 차례 0.25% 금리 인상을 예상하는 것으로 나타났다. 2018년 말 목표 범위는 2.25~2.5%였으며, 점선형 차트에 따르면 다수의 FOMC 위원들은 2019년 말 목표 범위를 3~3.25%로 예상했다. 또한 최소 두 차례의 금리 인상이 필요하다는 공감대가 FOMC에 널리 형성되어 있는 것으로 보였다. 이 소식을 접한 주식시장은 패닉에 빠졌고 그 후 몇 주 동안 지난 몇 년 간의 최저치로 하락했다. 그 후 FOMC는 1월에 신속하게 방향을 바꾸어 2019년에 금리를 인하할 것이라고 발표했다. 그 후 몇 달 동안 주식시장은 강하게 반등했다. 금융시장의 상황이 변하면 연준도 빠르게 마음을 바꿀 수 있다.

For release at 2:00 p.m., EST, December 19, 2018

Figure 2. FOMC participants' assessments of appropriate monetary policy: Midpoint of target range or target level for the federal funds rate

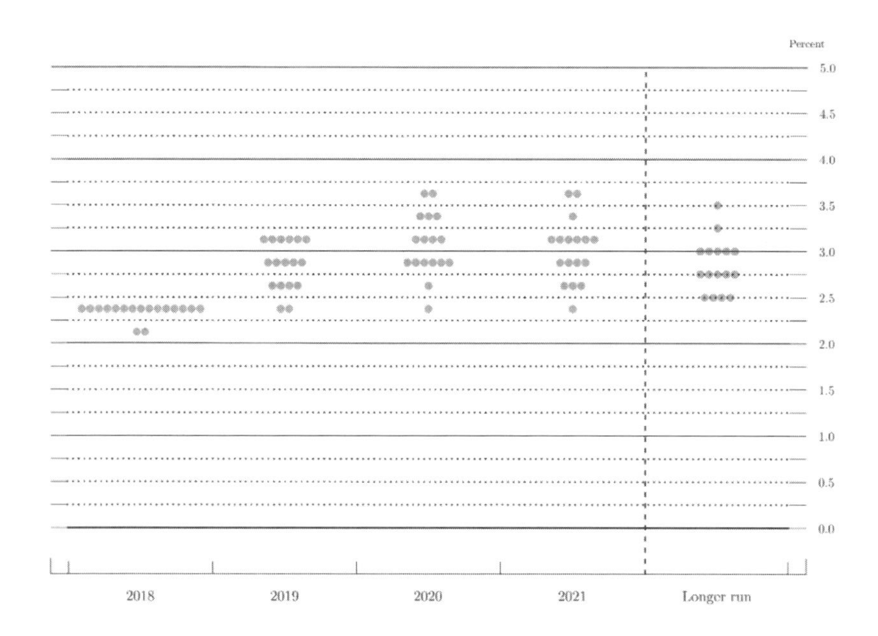

연방준비제도 연설

Federal Reserve Speeches

연방준비은행 총재와 연방준비제도이사회 총재는 통화정책에 대한 생각을 정기적으로 연설한다. 연설 내용이 항상 일치하는 것은 아니며, 어떤 연설은 다른 연설보다 훨씬 더 중요하다.[108]

FOMC의 의결기구는 이사회 총재, 뉴욕 연준 총재, 그리고 매년 교대

---

108 세인트루이스 연준은 모든 최신 연준 발언을 확인할 수 있는 웹페이지를 운영하고 있다.

로 선출되는 지역 연방준비은행 총재 4명으로 구성된다. FOMC 내에서 가장 영향력 있는 인물은 의장, 부의장, 뉴욕 연준 총재(부의장 겸임)이다. 이 세 사람은 '트로이카'라 불리며 FOMC에서 가장 큰 영향력을 가지고 있으므로 이들의 의견에 가장 큰 비중을 두어야 한다. 2019년에 존 윌리엄스 뉴욕 연준 총재는 금리가 낮을 때 연준이 경기 침체에 대응할 수 있는 탄약이 적기 때문에 더 공격적으로 금리를 인하해야 한다는 연설을 했다.[109] 코로나19 경기 침체가 닥친 2020년에 연준은 정확히 그렇게 했고 금리를 0%로 빠르게 인하했다. 이러한 움직임은 윌리엄스의 생각에 동조한 단기금리 선물 트레이더들에 의해 며칠 전부터 예상되어 왔다.

2019년 11월, 라엘 브레이너드(Lael Brainard) 전 연준 총재는 수익률 곡선 컨트롤의 유용성을 강조하는 연설을 했다.[110] 파월 의장도 연준 회의에서 수익률 곡선 컨트롤에 대한 논의가 있었다고 인정했다. 이로 인해 많은 연준 감시자들은 연준이 단기간 내에 수익률 곡선 컨트롤을 시행할 가능성을 높게 평가했다. 연준은 매우 신중한 기관이기 때문에 연설에서 정책 변경이 언급되면 이미 내부적으로 진지하게 논의되고 있다는 뜻이다. 그러나 코로나19 패닉이 발생하면서 경제 상황이 바뀌었고 국채금리가 급락했다. 그 후 FOMC 회의록에 따르면 수익률 곡선 컨트롤은 보

---

109 Williams, John C. "Living Life Near the ZLB." Speech, July 18, 2019. https://www.newyorkfed.org/newsevents/speeches/2019/wil190718

110 Brainard, Lael. "Federal Reserve Review of Monetary Policy Strategy, Tools, and Communications: Some Preliminary Views." Speech, November 26, 2019. https://www.federalreserve.gov/newsevents/speech/brainard20191126a.htm

류되었지만 나중에 부활할 수 있음을 시사했다.

FOMC 위원들은 일반적으로 그들이 표현하는 견해에 따라 '비둘기파(doves)' 또는 '매파(hawks)'로 분류된다. 비둘기파는 완화적인 통화정책을 선호하는 반면 매파는 긴축적인 통화정책을 선호한다. 일부 연은 총재들은 항상 저금리와 많은 양적완화를 옹호하는 것으로 알려져 있는 반면, 다른 연은 총재들은 그 반대인 것으로 알려져 있다. 연준 감시자들은 각 연준 총재의 연설을 검토하여 각 연준 총재의 입장을 파악한 다음, 내년에 누가 투표권을 행사할지 살펴보고 FOMC가 어떻게 투표할지 추측한다.

연준 감시자들은 비둘기파가 매파로 바뀌거나 매파가 비둘기파로 바뀌는 시점에 특히 주목한다. 이러한 변화는 FOMC의 행동 변화를 예고할 수 있다. 예를 들어 비둘기파로 알려진 연준 총재조차 추가 양적완화에 반대한다면 추가 양적완화 가능성은 매우 낮다.

연준 인터뷰 및 의회 증언
Fed Interviews and Congressional Testimonies

연준 관계자는 보통 미리 정해진 일정에 따라 시장과 소통한다. 미리 예정된 FOMC 회의, 업계 그룹 컨퍼런스 또는 기타 행사들이 여기에 속한다. 그러나 그들은 항상 언론에 전화를 걸어 예정에 없던 인터뷰를 할 수 있다. 연준이 시장이 자신들을 오해하고 있다고 판단하고 더 큰 문제가 발생하기 전에 오해를 바로잡고 싶을 때 가끔 이런 일이 발생한다. 연준 의장이나 부의장이 갑자기 예정에 없던 인터뷰를 한다면 시장 참여자들은 이를 심각하게 받아들여야 한다.

2017년 3월 FOMC 회의를 앞두고 단기금리 시장은 최근 긍정적인 경제 지표에도 불구하고 연준의 조치를 가격에 반영하지 않았다. 이후 연준 관계자들은 3월 FOMC 회의에서 금리 인상을 강력하게 암시하는 인터뷰를 잇달아 발표했다.[111] 단기금리 선물 트레이더들은 이를 주목하고 가격에 반영하기 시작했다. 그리고 얼마 지나지 않아 FOMC는 금리 인상을 단행했다. 현대의 연준은 금융자산 가격의 변동성을 싫어하기 때문에 시장을 너무 놀라게 하길 원하지 않는 점을 기억해야 할 것이다.

연준 의장은 1년에 두 번 험프리-호킨스 청문회(Humphrey-Hawkins hearings, 통화정책 보고서라고도 함)에 의회에 출석한다. 이 청문회에서 연준 의장은 금융 및 경제 상황과 연준의 조치에 대해 증언한다. 연준 의장은 미국 의회 의원들의 질문도 받는다. 이러한 청문회는 상당한 언론의 주목을 받지만, 보통 새로운 내용이 공개되지는 않는다. 의장은 이전 FOMC 언론 브리핑에서 했던 말을 반복하고, 의원들은 주로 방청석에 앉을 기회를 갖는다.

---

111 Condon, Christopher, and Rich Miller. "Fed Officials Signal More Willingness to Consider March Hike." Bloomberg, February 28, 2017. https://www.bloomberg.com/news/articles/2017-02-28/fed-officials-signal-greater-willingness-to-consider-march-hike

데스크 운영 성명서
Desk Operating Statements

연준은 공개시장데스크(Open Market Desks)를 통해 증권을 매매한다. 데스크는 뉴욕 연방준비은행 웹사이트에 운영 정책과 일정을 공개한다. 이 정보를 통해 연준이 금융시장에 대해 어떻게 생각하는지 조금이나마 알 수 있다.

2020년 코로나19 패닉이 한창이던 3월 23일, 데스크는 매일 750억 달러 규모의 국채를 매입할 것이라는 성명을 발표했다. 시간이 지남에 따라 한 달에 약 800억 달러로 그 규모가 줄어들었지만 여전히 상당한 규모이다. 연준 감시자들은 이 정보를 바탕으로 연준이 금융 시스템에 공급하는 유동성의 양을 추정한 다음 금리와 주가에 미칠 수 있는 영향을 예측할 수 있었다. 많은 시장 평론가들은 이를 보고 주식시장이 폭발적으로 상승할 것이라고 믿었고, 실제로 그렇게 되었다.

2020년 6월, 데스크는 레포 대출 창구의 최소 금리를 0.1%에서 0.15%로 인상한다고 발표했다.[112] 시장 참여자들은 이러한 조치가 모든 단기금리에 약간의 상승 압력이 가할 것이라 예상하였고, 이에 따라 국채금리도 소폭 상승했다. 프라이머리딜러의 대체 자금 조달원인 연준의 차입 금리가 0.1%에서 0.15%로 인상됨에 따라 프라이머리딜러가 보유

---

112 "Statement Regarding Treasury Securities and Agency Mortgage-Backed Securities Operations." Operating Policy. Federal Reserve Bank of New York, March 23, 2020. https://www.newyorkfed.org/markets/opolicy/operating_policy_200323

한 현금 대출 기관과의 협상 지위는 약화될 것으로 보인다. 반면 민간 부문 대출 기관은 0.1% 보다 높은 수익률을 요구할 수 있는 협상력을 조금 더 갖게 될 것으로 예상된다.

또한 데스크는 하루 업무가 종료된 후 즉시 일일 업무 결과를 게시한다. 데스트는 하루 종일 실시간으로 레포 및 역레포 운용, MBS 매입, 미국 국채 매입, 증권 대출의 결과를 게시한다. 연준 감시자들은 이러한 운용에서 변화를 감지하고 이를 통해 시장의 변화를 유추한다. 예를 들어, 데스크의 역레포 운용 참여가 점차 증가한다면 이는 머니마켓펀드 투자자들이 수익률이 높은 민간 부문 투자처를 찾는 데 어려움을 겪고 있어 연준에 자금을 예치할 수밖에 없다는 것을 의미한다. 이는 일반적으로 금융 시스템에 유동성이 풍부하다는 것을 뜻하며 당분간 머니마켓 금리가 낮게 유지될 것임을 시사한다.

연준 대차대조표
Fed Balance Sheet

연준의 도구에서 대차대조표가 차지하는 비중이 커짐에 따라 연준 감시자들은 연준의 대차대조표에 점점 더 많은 관심을 보이고 있다. 그들은 대차대조표의 규모가 증가하고 있는지, 만약 증가하고 있다면 어떤 자산이 대차대조표 확대에 영향을 미치는지 알고 싶어 한다. 연준 감시자들은 이 정보를 바탕으로 금융시장에 어떤 일이 일어날지 예측한다. 일반적으로 연준 감시자들은 연준이 대차대조표를 확대하면, 금리가 낮아지고 주식시장이 상승할 것이라고 가정한다. 일부 신용창구에 대한 높은 참여도는 시장의 일부 부문에서 스트레스를 나타내는 지표가 될 수 있다.

연준은 매주 목요일 오후 온라인에 게시되는 대차대조표를 통해 주간 대차대조표를 공개한다. H.4의 주요 항목에는 상업은행이 보유한 은행 지급준비금 규모, 연준이 보유한 재무부 및 기관 MBS 증권 규모, 연준 특별 신용창구 규모, 외국 공공 기관을 위해 보유한 증권의 금액 등이 있다.

1. **준비금 및 증권 보유(Reserves and Securities Holdings).** 준비금과 보유 증권은 서로 반대되는 개념으로, 준비금은 연준이 매입하는 증권에 대한 대금을 지불하기 위해 만들어진다.

2. **연준 신용창구(Fed Credit Facilities).** 시장 스트레스가 심각한 시기에 연준은 시장의 특정 부문을 지원하기 위해 특별 신용창구(credit facilities)를 제공한다. 2020년 코로나19 패닉 상황에서 연준은 2008년 금융위기 당시의 여러 신용창구들을 복원하고 몇 가지 새로운 신용창구들을 추가한다고 발표했다. 신용창구들에 대한 대출 발행액은 매주 공개된다. 이러한 대출의 활용 정도는 시장이 얼마나 경직되어 있는지 심각성을 측정하는 데 도움이 된다. 예를 들어 해외 중앙은행과의 외환스왑 거래의 발행액은 4월에 거의 5,000억달러로 증가했다. 같은 기간에 사모 시장의 외환스왑 베이시스는 폭발적으로 증가했고 달러는 상당히 강세를 보였다. 그러나 4월 이후 역외 달러 자금조달 스트레스의 지표도 감소하면서 연준이 발행한 외환

스왑은 점차 감소했다. 이를 종합하면 코로나19 패닉 기간 동안 역외 달러 자금 조달 시장에 엄청난 스트레스가 있었으며, 이러한 스트레스는 연준의 5,000억 달러의 유동성 공급으로 해결되었음을 알 수 있다.

3. **해외 중앙은행 및 국제통화기구 계좌(Foreign and International Monetary Authority accounts, 줄여서 FIMA 계좌).** 연준은 외국 중앙은행, 외국 정부 또는 해외 기구와 같은 외국의 공공 기관 고객들에게 은행 서비스를 제공한다. 연준은 이들에게 담보된 '당좌예금 계좌(checking account)'와 유가증권 보관 서비스, 두 가지 주요 서비스를 제공한다. 담보된 '당좌예금 계좌'는 외국의 공공 기관 고객이 레포 대출의 형태로 연준에 자금을 빌려주는 레포 거래로 구성된다. 실제로 기본적으로 FIMA는 미국 국채를 담보로 하는 당좌예금 계좌이다. 또한 많은 외국 공공 기관 고객들은 더 높은 수익을 얻기 위해 달러 준비금을 미국 국채 형태로 보유한다. 연준은 이러한 증권의 수탁자 역할을 할 수 있다.

많은 외국의 공공 기관 고객들은 연준이 위험이 없는 거래상대방이기 때문에 달러 준비금을 연방준비은행에 보유하는 것을 선호한다. 그러나 일부 공공 기관 고객들은 달러 준비금의 일부를 상업은행에 보유하기도 한다. 이는 상업은행이 더욱 포괄적이고 다양한 금융상품군과 높은 금리를 제공하거나, 지정학적 리스크에 대비하여 분산투자가 목적일 수도 있다. 시장 참여자들은 국채 보유량이 감소하는 것을 주목하는데, 이는 외국 중앙은행들이 국채를 팔고 달러를 사용하여 통화 시장에 개입하고 있음을 뜻하기 때문이다.

데스크 설문조사
Desk Surveys

데스크는 정기적으로 시장 참여자를 대상으로 설문조사를 실시하여 시장의 생각을 파악한다. 설문조사는 프라이머리딜러 뿐만 아니라 세계 최대 규모의 투자 펀드를 포함한 일부 시장 참여자 그룹을 대상으로 실시한다. 설문조사 질문에는 일반적으로 정책금리, 성장률, 인플레이션, 실업률에 대한 기대치에 대한 공식 질문과 각 주제에 맞는 몇 가지 질문이 포함된다. 예를 들어, 연준이 대차대조표를 정상화할 때 설문조사에는 향후 예상되는 준비금 잔액 수준에 대한 질문이 포함되었다.[113]

이러한 설문조사는 FOMC가 어떤 정보가 시장에 반영되었는지 파악하여, 자신들의 조치를 적절히 조정할 수 있도록 도움을 준다. 시장 기대의 특정 측면은 시장 가격에서 쉽게 관찰되지만, 결과의 분포는 그렇지 않다. 예를 들어, 2020년 3월 초 코로나19 패닉 속에서 연방기금 선물시장은 예정에 없던 3월 3일 긴급 회의에서 0.5~1%의 범위 내에서 금리를 인하한 직후, 예정된 3월 17일 회의에서 금리를 0.5% 추가 인하할 것이라고 시사했다. 2020년 3월 설문조사에 따르면 대부분의 응답자가 다음 회의에서 0.5% 인하를 예상했지만 응답자의 4분의 1 이상이 1%에

113 설문조사 응답자 목록은 뉴욕 연방준비은행 웹사이트에서 확인할 수 있다. 설문조사에 참여한 기업 샘플에는 PIMCO, 시타델 그룹, 뱅가드 그룹, D.E. Shaw, 블랙록, 칼라일 그룹 등이 포함되어 있다.

서 0%로 완전히 인하할 것으로 예상하는 등 기대치의 예상이 비정상적으로 많이 분산된 것으로 나타났다. 시장 가격은 시장 참여자들의 중앙값을 반영했지만 상당한 왼쪽 꼬리 기대치(비관적인 기대치)가 반영되지 않았다. 이 정보는 유용했는데, 그 이유는 FOMC가 시장을 너무 놀라게 하여 큰 변동성을 유발하는 것을 막으려고 하기 때문이다. 결국 FOMC는 1% 인하를 단행하여 비둘기파적 조치를 취했지만 완전히 예상치 못한 서프라이즈는 아니었다.

또 다른 예로, 2014년 1월 데스크 설문조사에 따르면 시장 참여자들은 다음 회의에서 월 자산매입 규모를 100억 달러 소폭 인하할 것으로 예상했다. 이를 기준선으로 삼아 FOMC는 매입 규모를 줄이지 않는 정책은 비둘기파로 인식되고, 100억 달러 이상 줄이면 매파로 인식될 것이라고 판단했다. 결국 FOMC는 시장의 기대에 부응하기로 결정했다. 그러나 FOMC가 어느 방향이든 시장에 약간의 서프라이즈를 주기를 원했다면 설문조사를 통해 그 방법을 알 수 있었다.

데스크 설문조사의 설문지는 FOMC 회의가 열리기 약 2주 전에 뉴욕연준 웹사이트를 통해 공개되며, 설문조사 결과는 FOMC 회의가 끝난 후 약 3주 후에 공개된다. 설문지의 질문들은 연준 감시자가 현재 연준의 관심사를 이해하는 데 도움이 될 수 있으며, 설문조사의 결과는 연준의 정책 조치를 이해하는 데 도움이 된다.

연방준비제도 리서치
Federal Reserve Research

각 연방준비은행에는 연구 논문이나 블로그 게시물의 형태로 경제 연구를 정기적으로 발표하는 박사 급 경제학자들이 많이 있다. 게시된 연구는 반드시 연준 관계자의 견해를 반영하는 것은 아니며, 연준에 소속된 경제학자들이 개인적인 견해와 연구 결과를 공유하는 창구 역할을 한다. 연준은 매우 크고 관료적인 조직이기 때문에 때때로 다양한 견해가 충돌하는 것은 놀라운 일이 아니다. 연준의 경제학자들은 상당한 양의 기밀 데이터에 접근할 수 있으므로 그들의 연구 결과는 시장의 최신 동향에 대해 배울 수 있는 기회를 제공한다. FOMC가 다음에 무엇을 할 것인지에 대해 많은 인사이트를 제공하지 못할 수도 있지만, 그들의 연구 결과는 지속적으로 자신을 교육할 수 있는 좋은 방법이다. 주목할 만한 연준 자료로는 뉴욕 연준의 '리버티 스트리트 이코노믹스 블로그(New York Fed's Liberty Street Economics blog)'와 '연준 이사회의 FEDS 노트 섹션(the Board of Governor's FEDS Notes section)'이 있다. 또한, '연준 이사회의 반기별 금융 안정성 보고서(the Board of Governors' semiannual Financial Stability Report)'는 연준이 수집한 데이터를 기반으로 금융 시스템 상태에 대한 좋은 개요를 제공하며 훌륭하고 접근하기 쉬운 간행물이다.

연방준비제도 설문조사
Federal Reserve Surveys

연준과 이사회는 경제 상황에 대한 질적 정보를 수집하기 위해 설문조사를 실시한다. 대표적인 설문조사로는 베이지 북과 수석 대출 책임자 설문조사가 있다. 이러한 설문조사는 시장에 막대한 영향을 미치지는 않지만 연준이 경제를 어떻게 바라보는지 이해하는 데 도움이 된다.

1년에 8회 발행되는 베이지 북은 각 연방준비은행 지역의 기업인들의 일화를 모아 엮은 자료이다. 연준 직원들은 자신이 속한 지역의 기업 담당자들에게 연락을 취하고 조사 결과를 기록하는데, 특히 고용과 물가 변동에 관련된 정보를 문서화한다. 베이지 북은 여러 지역과 산업 전반에서 일어나는 일에 대한 간략한 설명을 제공함으로써 연준의 보유한 정량적 데이터를 보완한다.

분기별로 발표되는 수석 대출 책임자 설문조사(The Senior Loan Officer Survey)는 상업은행의 임원들을 대상으로 진행되며, 연준이 신용 상태의 변화를 이해하도록 돕는 것을 목표로 한다. 연준은 대출 기준이 강화되고 있는지 또는 완화되고 있는지 알고 싶어하는데 신용 가용성(the availability of credit)[114]이 주요 경제 지표이기 때문이다. 은행이 대출 기준을 강화하면 금융 시스템에 유입되는 자금이 줄어들게 되고, 이는 경

114 은행이 돈을 빌려주고 차입자가 신용을 이용할 수 있는 정도를 의미한다. 신용 가용성은 개인이나 기업이 상업은행에서 대출이나 신용을 얻는 것이 얼마나 쉬운지 또는 어려운지를 반영한다.

제성장에 역풍이 될 수 있다.

연준이 무엇을 할 것이라고 생각하는가?
What Do You Think the Fed Will Do?

연준 감시자는 이 장에서 논의한 모든 커뮤니케이션을 파악한 다음 연준이 무슨 생각을 하고 있는지, 연준이 무엇을 할 것인지에 대한 견해를 정립해야 한다.

연준의 모든 커뮤니케이션을 주의 깊게 검토하면 안정적인 경제 상황에서는 정확한 평가를 내릴 수 있지만, 위기 상황에서는 부정확할 수 있다. 심각한 일이 발생하면 연준조차 혼란에 빠진다. 연준이 무엇을 할 것인지 파악하려면 금융 시스템이 어떻게 작동하는지, 시스템이 어디에서 고장날 수 있는지, 연준이 문제를 해결하기 위해 어떤 도구를 사용할 수 있는지 알고 있어야 한다. 이 책 전반에 걸쳐 제시된 개념을 이해하고 연준의 커뮤니케이션을 계속 파악한다면 전문 연준 감시자가 되는 길에 들어서게 될 것이다.

새로운 프레임워크
The New Framework

2020년 8월 27일, 파월 의장은 잭슨 홀 연례 경제정책 심포지엄(the annual Jackson Hole Economic Policy Symposium)에서 연준의 새로운 통

화정책 프레임워크를 발표했다.[115] 이 프레임워크는 연준의 통화정책 수행 방식에 평균 인플레이션 목표제와 최대 고용의 비대칭적 대응이라는 두 가지 중요한 변화를 가져왔다.

최대 고용의 비대칭적 대응

Asymmetry in Maximum Employment

최대 고용은 연준의 두 가지 임무 중 하나이다. 이를 위해 연준의 전략 성명서에서는 이전에 "고용이 최대 수준에서 벗어나는 것(deviations from employment's maximum level)"에 따라 정책이 결정된다고 언급했다. 즉, 고용이 최대 수준을 초과하면 정책금리를 인상하고, 고용이 최대 수준보다 낮으면 금리를 인하할 수 있다는 뜻이다. 연준은 새로운 전략 성명서에서 "고용의 최대 수준을 기준으로 고용 부족에 대한 평가(assessments of the shortfalls of employment from its maximum level)"를 통해 정책이 결정될 것이라고 밝혔다. 이는 연준이 예상한 최대 수준보다 고용이 높다고 해서 연준이 반드시 정책금리를 인상할 필요는 없다는 뜻이다.

파월 의장은 연설에서 이러한 변화는 부분적으로 고용의 최대 수준을 계산하는 어려움과 필립스 곡선(Phillips curve)의 평탄화 때문이라고 언

115 "Federal Open Market Committee Announces Approval of Updates to Its Statement on Longer-Run Goals and Monetary Policy Strategy." Press Release. Board of Gover-nors of the Federal Reserve System, August 27, 2020. https://www.federalreserve.gov/newsevents/pressreleases/monetary20200827a.htm

급했다. 필립스 곡선은 경제학에서 실업률과 인플레이션을 연결시키는 개념으로, 실업률이 낮을수록 인플레이션이 높아진다. 특히 경제가 최대 고용을 초과하면 인플레이션이 상승한다. 그러나 최근 몇 년 동안 실업률과 인플레이션 사이의 연관성은 상당히 약화된 것으로 보인다. 2019년 실업률은 약 3.5%로 수십 년 만에 최저치로 하락했지만 인플레이션은 계속해서 2% 미만이었다.

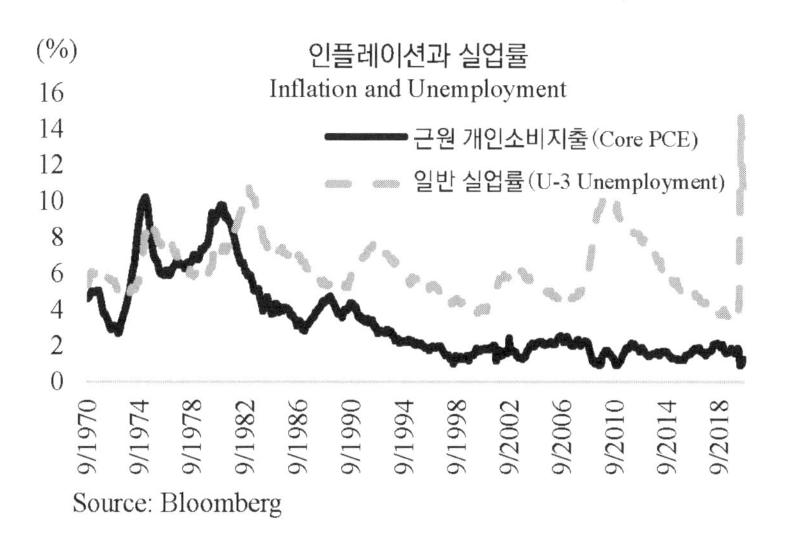

Source: Bloomberg

이 퍼즐은 최대 고용 수준이 연준의 추정치보다 높거나, 고용과 인플레이션 사이의 연결 고리가 바뀌었다는 것을 시사한다. 두 경우 모두 연준은 고용 데이터를 볼 때 이전에 사용했던 것과 동일한 프레임워크로 운영할 수 없다. 따라서 연준은 이제 낮은 실업률(높은 고용 수준)이 더 이상 통화정책 긴축 결정에 영향을 미치지 않을 것이라고 말한다.

평균 인플레이션 목표제
Average Inflation Targeting

연준의 두 번째 임무는 안정적인 물가를 유지하는 것이며, 이는 개인소비지출(PCE) 지수의 인플레이션 목표치인 2%로 해석되어 왔다. 지난 10년 동안 PCE는 연준의 목표치를 크게 밑돌았다. 이같이 저조한 성과가 계속된 나머지 연준은 권한을 수행하는 방식을 바꾸게 되었다.

연준은 인플레이션 평균 목표치 달성 프레임워크를 공식적으로 채택했다. 이는 과거 인플레이션 목표치 미달이 미래에 목표치 초과가 발생할 경우, 그 효과가 상쇄되어 시간이 지남에 따라 평균 인플레이션이 약 2%가 되는 것이다. 따라서 연준은 이전 프레임워크에서는 허용되지 않았던 2% 이상의 지속적인 인플레이션을 허용할 수 있게 되었다.

비평가들은 연준이 과거 몇 년 동안 인플레이션 목표인 2%를 달성하지 못했기 때문에 인플레이션을 더 높은 수준으로 끌어올려 이전의 부족분을 충족시킬 가능성은 낮다고 지적한다. 그러나 연준이 여러 차례 금리를 인상했음에도 불구하고 PCE 인플레이션은 때때로 2%를 넘었고, 연준이 전혀 금리를 인상하지 않았다면 인플레이션은 2%를 넘는 수준에서 머물렀을 가능성도 있다. 연준의 새로운 프레임워크의 효과에 대한 판단은 앞으로 몇 년이 지나야 명확해 지겠지만, 채권시장은 연준에 대해 어느 정도 신뢰를 보이는 듯했다. 새로운 프레임워크가 발표된 후 국채수익률 곡선의 기울기가 가팔라졌으며, 이는 적어도 일부 시장 참여자들이 향후 인플레이션이 높아질 것으로 예상하고 있음을 시사한다.

인플레이션은 주로 정치적 선택이다. 어떤 정부든 대규모 재정지출로 인플레이션을 일으키거나, 세금을 대폭 인상하여 디플레이션을 일으킬 수 있다. 연준은 오랫동안 금리를 낮게 유지하는 선택을 해왔으며, 연방정부가 대규모 적자 지출을 계속하기로 결정하면 향후 인플레이션이 상승할 가능성이 매우 높다.

현대통화이론
Modern Monetary Theory

현대통화이론("MMT")은 재정 정책의 혁명을 위한 이론적 틀을 마련하고 있는 떠오르는 경제 사상 학파이다.[116] MMT는 정부가 법정화폐를 발행하는 것은 세금이나 부채에 의해 제약을 받지 않고 오직 인플레이션에 의해서만 제약을 받는다고 가정한다. 세금과 부채 발행은 정부가 인플레이션을 관리하는 도구일 뿐이라는 것이다. 이는 적자 지출(deficit spending)과 높은 정부 부채 수준을 부정적으로 보는 경향이 있는 경제 정설과는 완전히 대조적이다.

전통적인 경제학에서는 국가를 가계와 동일한 개념으로 접근하며, 생활비를 초과하여 빚을 지는 것은 앞으로 더 어려운 시기가 도래할 거라고 생각한다. 부채가 많은 국가는 부채를 상환하기 위해 다음 세대에 부과되는 세금을 인상해야 할 것이다. 또한 부채가 너무 많으면 투자자들

---

116 For more information, see Kelton, Stephanie. *The Deficit Myth: Modern Monetary Theory and the Birth of the People's Economy.* (2020)

이 더 높은 이자율을 요구하게 되어 경제성장이 더욱 둔화될 수 있다. 이 학설을 지지하는 사람들은 정부의 재정 적자를 경계하고 균형 잡힌 예산을 달성하기 위해 노력한다.

MMT 지지자들은 정부가 단순히 더 많은 돈을 찍어내어 지출을 충당할 수 있다고 지적한다. 정부는 돈을 빌리거나 세금을 부과할 필요는 없지만 인플레이션에 대처하기 위해 이러한 수단을 사용해야 한다. 정부가 적자 지출을 하면 실제로 돈을 만들고 이를 재화와 서비스에 지출함으로써 경제성장을 촉진하는 것이다. 만약 인플레이션이 통제된다면 적자 지출과 높은 부채 부담은 우려의 대상이 아니며 이는 경제성장에 도움이 될 수 있다.

의도적이든 우연이든 MMT 혁명은 조용히 전 세계를 장악하고 있는 것처럼 보인다. 전 세계 각국 정부는 재정지출에 점점 더 공격적으로 나서고 있으며 국가 부채에 대한 우려는 줄어들고 있다. 미국의 재정 적자는 포물선 형태로 증가하고 있으며, 2020년에는 3조 달러가 넘을 것으로 예상된다. 중앙은행은 금리를 낮게 유지하고 대량의 국채를 매입하여 정부 지출에 자금을 조달함으로써 이러한 MMT 혁명을 가능하게 했다. 경제는 대규모 재정부양책에 긍정적으로 반응했다. 더욱이 인플레이션이 진정되고 금리가 역사적으로 낮은 수준을 유지하며 통화 시장이 안정적으로 유지되고 있기 때문에 이러한 행동에는 아무런 결과가 없는 것으로 보이며, 재정 매파들이 우려했던 채권 폭락은 동화 속 이야기에 불과한 것으로 여겨진다.

MMT는 통화 시스템의 작동 방식을 설명하는 데 있어 대체로 정확하지만, 채권 자경단의 동화의 취지를 잘못 이해했을 수 있다. 정부 예산은 권리장전(the Bill of Rights), 권력분립(the separation of powers), 헌법(the Constitution)과 같이 정부 권력에 대한 제약이다. 이러한 제약을 없애는 것은 정부에 무제한의 지출 권한을 부여하는 것이며, 이는 현명하게 사용될 수 있지만 그렇지 않을 수도 있다.

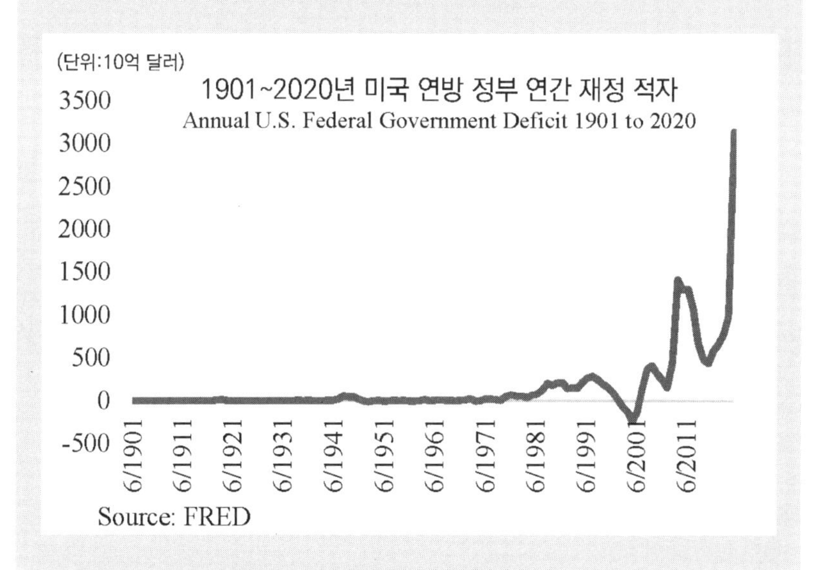

역사는 정부 관료가 다른 사람보다 현명하지도 않고, 덜 이기적이지도 않다는 것을 거듭 보여준다. 통화 시스템은 그 시스템에 대한 신뢰만큼만 강력하며, 통화 시스템에 오랫동안 내재된 안전장치를 제거하면 큰 재앙을 초래할 수 있다.

연방준비제도 101

뉴욕 연방준비은행 트레이더가 말하는 연준의 모든 것

초판 1쇄 발행 2024년 2월 16일
초판 2쇄 발행 2024년 6월 19일

지은이 조셉 왕
옮긴이 존 최
펴낸이 존 최
펴낸곳 비지니스 101
출판등록 제2022-000069호
제작 및 유통 비지니스 101
주소 서울시 영등포구 영신로 44길 16
전화 0507-1478-7817

ISBN 979-11-983102-7-9 (03320)
값 22,500원
잘못된 책은 구입하신 곳에서 바꾸어 드립니다.

올바른 금융지식을 전달합니다
Fostering Collective Financial Intelligence